(창과 방패 AZ시리즈 5)

전세금 전세사기유형 및 피해방지, 손해배상 AZ (A to Z)

전세금 전세사기유형 및 피해방지, 손해배상 AZ (A to Z)

지은이 진제원 변호사

발 행 2024년 03월 04일
펴낸이 한건희
펴낸곳 주식회사 부크크
출판사등록 2014.07.15.(제2014-16호)
주 소 서울특별시 금천구 가산디지털1로 119 SK트윈타워 A동 305호
전 화 1670-8316
이메일 info@bookk.co.kr

ISBN 979-11-410-7483-8

www.bookk.co.kr

*본 책의 내용은 항상 그 완전성이 보장되는 것은 아니고, 또한 특정사안에 대한 구체적인 의견제시가 아니므로, 적용결과에 대해 저자가 책임지지 아니합니다. 따라서 실제 사안 적용에 있어서는 개별 상황에 따라 면밀히 검토하시고, 저자 또는 다른 법조인과 충실한 자문이 담보될 수 있는 자문계약을 체결하는 등의 방법으로 충분한 자문을 받아 행동하실 것을 권합니다.

전세금 전세사기유형 및 피해방지, 손해배상 AZ (A to Z)

진제원 변호사

BOOKK

차례

지은이

진제원 변호사

- 대한변호사협회 제22회 우수변호사상 수상
- 부산 성도고등학교, 부산대학교 법학과, 부산대학교 법학전문대학원 졸업
- 대한변호사협회 부동산전문변호사, 이혼전문변호사
- 부산광역시 상가임대차 상담센터 상담변호사
- 창원부산 소재 지역주택조합 다수 자문, 멀린엔터테인먼트코리아(주) 개발 자문, 건설사 자문 등 자문 다수
- 부산사립중등퇴임교장회 부동산상속 강의, 부산대학교 교양노동법 특강, 산업안전보건공단 법률강의, 그 외 기타 특강 출강 등

* 저서 *

- 공인중개사 중개사고 손해배상 AZ, (2021. 7.)
- 상가임대차법 권리금회수 손해배상 창과 방패 AZ, (2021. 9.)
- 계약금 가계약금 해약금 위약금 배액상환 계약해제 손해배상 AZ, (2022. 1.)
- 전세금 전세사기유형 및 피해방지, 손해배상 AZ , (2024. 3.)

상담문의는 아래 연락처로 남겨주시기 바랍니다.

휴대전화 : 010-4205-5598

이메일 : ultralawyer@hanmail.net

블로그 : blog.naver.com/ultralawyer(개정시 추록게시 예정)

(재판, 상담, 서면작성 등으로 연락을 받지 못하는 경우가 많으므로, 이메일 또는 문자로 먼저 성함/지역/연락처/상담내용을 남겨주시면 감사하겠습니다. 법률상담시 대면상담을 원칙으로, 원거리의 경우 화상·전화상담 가능하며, 소정의 상담료를 받고 진행함을 원칙으로 합니다.)

머 리 말

본 책은 수년 전 저자가 부동산계약 사기피해방지를 목적으로 만든 강의안 및 최근 저자가 수행하였던 많은 전세사기사건 관련 자료를 바탕으로 만들었습니다.

최근 2년여 사이 저자는 부동산전문변호사로서 수 많은 전세사기사건, 보증금반환 사건, 이러한 물건의 중개로 인한 중개사고 손해배상 소송들을 수행하였는데, 안타까운 사연들이 너무나 많았으며 '홍보가 제대로 된다면 이러한 일이 줄어들 것인데'라는 안타까움이 많았습니다.

저자는 이미 이러한 전세사기가 발생하기 이전부터 위와 같이 강의안을 만들어 교양강의 등을 하여 오면서 경각심을 가져주실 것을 말씀드려 왔으나, 이러한 강의는 한정된 분들을 상대로 하는 것으로 한계가 분명하였습니다. 그 뿐 아니라, 현재 시중에 나와 있는 전세사기 관련한 서적들 또한 문제되고 있는 거의 모든 사기유형을 소개드리는데는 한계가 있어 보여, 해당 전세사기사건들의 유형을 정리하고 앞으로 다시는 이러한 일이 반복되지 않도록 기록을 남기고, 이미 사고를 당하셨다면 어느 정도의 길잡이를 도와드리는 목적으로 집필을 하게 되었습니다.

저자는 저자가 직접 수행한 사건 및 관련 지방법원 판결문, 그 외 수집한 관련 자료들을 별도로 구해 본 책에 수록하였으며, 확립된 해석으로 오인할 수 있는 불필요한 오인가능성을 막기 위해 대법원 판결번호를 제외하고는 판결번호 전체를 수록하지는 않음을 양지하여 주시기 바랍니다.

또한, 이 책은 원활한 수시 업데이트를 위해 POD방식으로 제작하였으며, 본 저자는 추가내용에 대한 블로그 게시 및 개정을 통해 늘 최신의 내용으로 독자분들의 만족도를 높여 드릴 수 있도록 하겠습니다.

*본 책의 내용은 항상 그 완전성이 보장되는 것은 아니고, 또한 특정사안에 대한 구체적인 의견제시가 아니므로, 적용결과에 대해 저자가 책임지지 아니합니다. 따라서 실제 사안 적용에 있어서는 개별 상황에 따라 면밀히 검토하시고, 저자 또는 다른 법조인과 충실한 자문이 담보될 수 있는 자문계약을 체결하는 등의 방법으로 충분한 자문을 받아 행동하실 것을 권합니다.

1. 주택임대차계약과 관련한 기본 개념들

주택임대차계약과 관련하여 '전입신고', '대항력', '확정일자', '우선변제권', '최우선변제권' 등의 단어를 들어보신 분들도 있고, 들어보시지 못한 분들도 있을 것이다. 반대로 어떤 분은 '나는 이걸 다 알고 있는데 왜 이것부터 다시 알아봐야 하느냐'라고 생각하실 분들도 있으실지 모르겠다.

그러나, 위 개념을 아주 조금만 잘못 이해하더라도 임대차계약과 관련하여 보증금의 반환을 제대로 받을 수 없게 되는 심각한 결과를 가져오게 되는데, 이른바 전세계약에서의 보증금은 우리 인생을 좌우할 정도의 거액인 점에서 더욱 그러하다.

또한, 전세계약은 여러분의 생각과 달리 그 본질은 돈을 빌려주는 것과 매우 유사한 것으로, 이러한 본질을 알아야 전세사기를 당하지 않을 수 있다.

그래서, 우선 사례를 통해 이러한 개념의 제대로 된 실제적 의미를 파악하기 전에 위와 같은 주택임대차계약과 관련한 개념을 다시 한번 짚고 넘어가 보도록 하자. 이 기본적 개념을 일단 머릿속에 넣고 뒤에 살펴볼 사실관계와 판결문들을 보면 이해가 좀 더 빠를 것이다.

1-1. 전세계약의 본질은 집주인에게 돈을 빌려주고 집을 담보로 잡는 것이다!

많은 분들이 '전세계약'은 집을 빌리는 것이고, 그 보증금은 집을 빌리는 대가로서 집주인이 나중에 돌려주는 것이라고 으레 이렇게 이해하고 계시는 경우가 대부분이다.

물론 표면적으로는 위와 같은 생각이 옳은 것이지만, 실제 이른바 전세계약의 본질은 돈을 빌려주는 금전대여에 가깝다.

예를 들어, 독자께서 1억 원을 지인에게 빌려주고 2년 만기 연5%의 이자를 수령하며, 담보물로 집에 근저당권을 설정한다고 가정하면, 그 이자는 만기일에 총 1천만 원이 발생할 것이다.

이를 전세계약에 살짝 대입해 보면, 전세금 1억 원의 2년 만기 전세계약은 시중이자를 연 5%로 가정하였을 때 위 1억 원은 2년 뒤 원금만을 돌려받게 되므로, 위 이자 1천만 원이 임대료가 되는 셈이나 다름없게 된다.

그렇다면, 전세계약은 보증금을 빌려주면서, 보증금의 이자는 임대료로, 보증금을 돌려받는 것을 담보하기 위한 담보물은 전세계약의 대상인 주택을 담보로 하여 돈을 빌려준 것으로 시각을 달리해 볼 수 있는 것이다.

이렇게 다른 시각에서 살펴본다면, 생판 남에게 수천만 원, 수억의 거액의 돈을 빌려주는 데 그 담보가 얼마나 가치가 있는 담보인지, 내가 우선순위인지 아닌지 확인도 하지 아니하고 선뜻 돈을 빌려준다는 것을 상상하기 어려운 만큼, 전세계약 또한 수천만 원, 수억의 보증금을 제공하면서 담보물이나 다름없는 주택에 대해 내가 우선순위에 있는 것인지, 그 가치는 얼마나 되는지 등을 얼마나 꼼꼼히 보아야 하는 것인지에 대하여는 두말할 필요가 없는 것이 아닐까.

1-2. 대항력

대항력의 개념이 왜 필요한지 모르고 무턱대고 이를 이해하려 하면 그 개념이 어려울 수 밖에 없는데, 이것이 필요한 이유는 바로 앞에서 설명한 위와 같은 전세계약의 실질적 본질에서 이를 찾아볼 수 있다.

보통 돈을 빌려주는 경우라면 앞서 말씀드린 대로 채무자가 부동산 같은 담보를 제공하고, 이러한 부동산에 채권자가 근저당권을 설정하여 등기하는 경우를 흔히 볼 수 있다.

전세계약에서 이러한 '근저당권 등기'에 가장 유사한 방법은 '전세권 설정등기'를 하는 것인데, 전세계약의 현실은 집주인이 이러한 등기에 동의를 하지 않고, 비용문제로 임차인 또한 이를 이용하지 않는 경우가 많아, 이러한 대항력이라는 개념이 없던 시절에는 보증금반환을 담보할 장치가 없다시피 한 상황이었다.

이에, 등기 없이 임차인을 보호하겠다는 차원에서 나온 개념이 주택임대차보호법의 '대항력'이라는 것이다. 결국 등기가 없어 제3자가 임차인의 존재여부를 확인할 수 없으니, 이를 확인할 만한 다른 장치를 마련하여 임차인을 보호할 수 있는 명분을 만들어주는 것이다.

『주택임대차보호법』
제3조(대항력 등) ① 임대차는 그 등기(登記)가 없는 경우에도 임차인(賃借人)이 주

택의 인도(引渡)와 주민등록을 마친 때에는 그 다음 날부터 제삼자에 대하여 효력이 생긴다. 이 경우 전입신고를 한 때에 주민등록이 된 것으로 본다.

그래도 많은 분들이 최근에는 이러한 대항력에 대해 위 법률과 같이 전입신고(주민등록)과 점유(인도)를 받으면 다음날 0시부터 대항력이 발생한다는 것 정도는 인지하고 계신 것으로 보인다.

그런데, 많은 분들이 이러한 '대항력'의 개념을 위 조항의 표피적인 부분만을 주변에서 듣고 '전입신고하고 이사만 들어오면 대항력이 생겨서 안전한 것 아닌가.'라는 오해를 하는 경우가 많고, 특히 이러한 오해는 이른바 '신탁물건전세사기' 등의 사기수법에서 피해자를 양산시키고 있다(그 이유는 추후 항목에서 자세히 후술하도록 하겠다).

判例

대법원 2019. 3. 28. 선고 2018다44879, 2018다44886 판결

주택임대차보호법 제3조 제1항이 적용되는 임대차는 반드시 임차인과 주택의 소유자인 임대인 사이에 임대차계약이 체결된 경우에 한정되지는 않고, 주택의 소유자는 아니지만 주택에 관하여 적법하게 임대차계약을 체결할 수 있는

권한(적법한 임대권한)을 가진 임대인과 사이에 임대차계약이 체결된 경우도 포함된다.

주택에 관한 부동산담보신탁계약을 체결한 경우 임대권한은 특별한 약정이 없는 한 수탁자에게 있는 것이 일반적이지만, 위탁자가 수탁자의 동의 없이 임대차계약을 체결한 후 수탁자로부터 소유권을 회복한 때에는 임대차계약에 대하여 위 조항이 적용될 수 있음이 분명하다.

위 대법원 판결을 좀 더 깊이 생각해보면, 대항력 있는 임대차계약이기 위해서는 앞서 설명드린 바와 같은 전입신고(주민등록)과 점유(인도)가 필요할 뿐 아니라, 적법하게 임대차계약을 체결할 수 있는 권한(적법한 임대권한)이 필요한데, 이른바 신탁물건전세사기에서는 '적법한 임대권한'이 없는 자가 임대를 하는 사기행위 중 하나이고, 이러한 권한의 문제는 신탁사기 뿐 아니라 신분위조사기, 이중계약사기 등의 피해원인이 되는 것이다.

또한, 이러한 대항력의 효과로 사는 집에 경매가 진행되어 낙찰자에게 보증금 전액을 돌려받기 전까지 임대목적물에서 계속 거주할 수 있게 되는데, 이러한 대항력의 효과가 발생하기 위해서는 임대한 집의 등기부등본에 대항력 발생 이전 근저당권이나 압류 그 외 기타 임차인보다 앞서 등기된 권리가 없어야 한다.

그리고, 그 대항력을 갖추기 위해서는 임차한 목적물에 대해 정확히 표기가 되어 있어야 하는데, 이러한 표기가 잘못되는 경우 대항력이 발생하지 않는다.

또한, 임차한 물건을 '점유'하고 있어야 하는데, 이러한 점유는 계약기간 종료시까지가 아니라 보증금을 반환받을 때까지(배당요구종기일) 그 점유가 계속되어야 한다(이러한 맹점을 노리는 사기 중 하나가 후술할 '나가면 돈준다'사기이다.).

결국 수많은 사기피해가 발생하는 원인 중 가장 근본적인 원인은 이 '대항력'이라는 기본개념을 아예 숙지하지 못하거나 일부 기초적인 부분만을 인지하고 있는 데에 있다고 볼 수 있겠다.

1-3. 우선변제권

앞서 설명한 대항력과 별개로 우선변제권 부터는 상당히 기초적인 개념조차 잘못 이해하고 계신 분들이 상당히 많다.

우선변제권은 앞서 설명드린 바와 같은 대항력을 갖추고 있는 경우 확정일자를 받으면 경매에서 배당요구시 순위대로 배당을 받을 수 있는 권리를 말한다.

대항력의 효과로 사는 집에 경매가 진행되어 낙찰자에게 보증금 전액을 돌려받기 전까지 임대목적물에서 계속 거주할 수 있게 되고, 이에 따라 낙찰을 받은 새로운 주인이 결국 보증금을 지급하게 되는 구조가 생기게 되는데, 이는 앞서 말씀드린 대로 대항력 발생 이전 근저당권이나 압류 그 외 기타 임차인보다 앞서 등기된 권리가 없어야 한다.

따라서, 반대로 생각해 보면 대항력이 발생하기 이전에 임차인보다 앞서는 권리가 등기되었다면 경매시 보증금을 한 푼도 돌려받지 못하는 구조가 발생하게 된다는 것인데, 대항력을 갖고도 앞서 우선하는 권리가 하나라도 등기되어 있다는 이유로 한 푼도 돈을 배당받지 못하는 것은 억울한 것이고, 이를 막기 위한 것이 우선변제권인 것이다.

따라서 대항력이 있다는 이유로 안전하다고 생각할 것이 아니라, 확정일자를 받아 우선변제권을 갖고 경매절차에서 배당요구종기일 전까지 배당요구를 하여 우선변제권을 행사할 수 있도록 준비할 필요가 있으며, 특히 임차인보다 앞서는 권리가 등기되어 있는 경우에는 더욱 그러하다.

1-4. 최우선변제권

우선변제권 뿐 아니라 최우선변제권의 개념쯤 오게되면 거의 대부분의 임차인 분들께서 이해를 하지 못하고 계시는 경우가 대부분이다.

최우선변제권은 임차인이 소액임차인에 해당하면 전입신고와 점유(대항력)만 갖고 있으면 선순위 권리가 있는 지 여부나 확정일자의 유무 등을 보지 않고 낙찰대금의 2분의 1 범위 내 일정 금액 범위에서 최우선으로 보증금의 변제를 받을 수 있도록 한 권리이다.

『주택임대차보호법』 제8조(보증금 중 일정액의 보호) ① 임차인은 보증금 중 일정액을 다른 담보물권자(擔保物權者)보다 우선하여 변제받을 권리가 있다. 이 경우 임차인은 주택에 대한 경매신청의 등기 전에 제3조제1항의 요건(저자 주:대항력=전입신고+점유)을 갖추어야 한다. ② 제1항의 경우에는 제3조의2제4항부터 제6항까지의 규정을 준용한다. ③ 제1항에 따라 우선변제를 받을 임차인 및 보증금 중 일정액의 범위와 기준은 제8조의2에 따른 주택임대차위원회의 심의를 거쳐 대통령령으로 정한다. 다만, 보증금 중 일정액의 범위와 기준은 주택가액(대지의 가액을 포함한다)의 2분의 1을 넘지 못한다. 제3조의3(임차권등기명령) ⑥ 임차권등기명령의 집행에 따른 임차권등기가 끝난

주택(임대차의 목적이 주택의 일부분인 경우에는 해당 부분으로 한정한다)을 그 이후에 임차한 임차인은 제8조에 따른 우선변제(저자 주 : 최우선변제권)를 받을 권리가 없다.

다만, 이러한 최우선변제권은 이전 임차인이 임차권등기명령을 받아 임차권등기를 하고 나간 뒤에 임대차계약을 하고 들어오는 세입자의 경우에는 최우선변제를 받지 못한다.

또한, 지역별로 정하고 있는 법령의 기준에 따라 임차인의 보증금이 소액에 해당하여야 하는데, 그 범위는 아래와 같다.

시행일	지역별	소액임차인해당보증금 (만원 이하)	최우선변제금액 (만원 이하)
18. 9. 18. 부터	서울시	1억 1000	3700
	수도과밀억제권역, 세종, 용인, 화성	1억	3400
	광역시, 안산, 김포, 광주, 파주	6000	2000
	그 밖의 지역	5000	1700
21. 5. 11. 부터	서울시	1억 5000	5000
	수도과밀억제권역, 세종, 용인, 화성, 김포	1억 3000	4300
	광역시, 안산, 광주, 파주, 이천, 평택	7000	2300
	그 밖의 지역	6000	2000
23. 2. 21. 부터	서울시	1억 6500	5500
	수도과밀억제권역, 세종, 용인, 화성, 김포	1억 4500	4800
	광역시, 안산, 광주, 파주, 이천, 평택	8500	2800
	그 밖의 지역	7500	2500

위 표를 잘못 오해하고 계시는 임차인들의 경우 위 소액임차인해당보증금 부분을 해당 보증금만큼 보호하는 것으로 착각하는 분들이 많이 있는데, 이는 보증금의 범위를 표시한 것일 뿐으로, 그 옆의 최우선변제금액이 실제 보호되는 액수에 해당한다.

그런데, 이러한 최우선변제권은 임대차계약시 앞서 설명드린 바와 같이 먼저 설정된 근저당권 등 대항력에 앞서는 권리가 있더라도 우선 배당받을 수는 있으나, 이러한 선순위 권리가 있을 경우 위 표에 기재된 범위를 적용함에 있어서 문제가 발생하게 된다.

예를 들어 임대차계약을 2023. 3. 30.에 서울시에 있는 1억 6천 만 원의 보증금으로 빌라 전세계약을 하였다고 가정하였을 때, 위 빌라에 앞서 설정된 근저당권이 2018. 9. 20.에 설정된 것이 있다면 임차인의 위 최우선변제금의 적용기준이 되는 기준시기는 현재 시행되고 있는 2023. 2. 21.부터의 기준이 아닌 2018. 9. 18.부터 시행된 기준표가 적용되기 때문에, 실제로는 소액임차인의 적용기준이 1억 1천만 원이 되어 소액임차인으로서 최우선변제를 받지 못하게 되는 것이다.

그런데 많은 경우 이러한 부분을 간과하여 중개사무소에서도 위 사례에서도 최우선변제를 받을 수 있으니 안심하라고 잘못 안내하는 경우가 흔히 일어나고 있는데, 이러한 문제가 있을 수 있음을 반드시 주의할 필요가 있다.

이러한 점에서, 만약 선순위 등기가 설정되어 있는 경우 소액임차인의 범위로 보증금계약이 가능하다면 최대한 그 범위 내에서 계약하는 것이 안전할 수 있는데, 다만 이러한 점은 앞서 설명드린 것 뿐 아니라 '대항력'자체는 있는 것을 전제로 하고 있으므로 아래 설명드릴 '신탁등기사기' 등에는 적용될 수 없음을 명심하여야 한다.

2. 각종 전세사기의 유형

2-1. 신탁물건전세사기

실제사례

가. 부동산의 신탁

1) 피고 유한회사 C(이하 '피고 회사'라 한다)는 2016. 3. 30. J신탁 주식회사(현재의 상호는 'K신탁 주식회사'이다. 이하 '신탁회사'라 한다)에 별지 목록 기재 부동산(이하 '이 사건 부동산'이라 한다)에 관하여 같은 날 신탁을 원인으로 한 소유권이전등기를 마쳐주었다.

2) 피고 회사와 신탁회사가 체결한 신탁계약(이하 '이 사건 신탁계약'이라 한다) 제6조 제1항은 "위탁자는 신탁부동산을 사실상 계속 점유·사용하며, 신탁부동산에 대한 보존·유지·수선 등 실질적인 관리행위(신탁부동산의 임대차관리 및 임차보증금 반환·현장관리·수선유지 등을 포함하며, 이에 한정되지 아니한다)와 이에 소요되는 일체의 비용을 부담한다."고 정하고 있고,

제11조 제2항은 "갑(피고 회사를 말한다. 이하 같다)은 어떠한 경우에도 신탁계약체결 이후 새로운 임대차계약을 체결하는 경우에는 을(신탁회사를 말한다. 이하 같다) 및 우선수익자의 서면에 의한 동의를 받아야 한다. 을과 관계없이 갑이 임대차하는 경우에는 갑이 보증금반환의무 등 모든 책임을 부담하며 을은 아무런 책임이 없다."고 정하고 있다.

나. 임대차계약의 체결 등

1) 원고와 피고 회사는 2019. 4. 3. 공인중개사인 피고 E의 중개로 피고 회사가 원고에게 이 사건 부동산을 임대차보증금 4,000만 원, 계약기간

2019. 4. 3.부터 2020. 4. 2.까지로 정하여 임대하는 내용의 임대차계약을 체결하였다(이하 '이 사건 임대차계약'이라 한다). 원고는 피고 회사에 위 임대차보증금을 지급하였다.

2) 이 사건 임대차계약과 관련한 실질적인 중개업무는 피고 E이 고용한 중개보조원인 피고 F이 하였다. 한편 피고 회사는 이 사건 임대차계약의 체결에 대하여 신탁회사나 우선수익자의 동의를 받지 않았다.

3) 이 사건 임대차계약 특약사항 제1항은 '목측상과 같으며 공부서류 일체 확인 후 계약한다. 등기부등본 열람일시는 계약금의 수령일로 정하며 열람시간 이후 중개대상물의 압류, 근저당권설정, 가압류 등의 발생은 중개인의 책임이 없음을 임대인 및 임차인은 동의한다.'고 정하고 있고, 제2항은 '본 부동산은 L자산운용과 신탁부동산이며 J신탁과 (유)C는 L자산운용과 계약의 특약사항 제6조 J신탁은 소유권의 자산수탁 업무만을 수행하고 부동산의 실질적관리 임대차관리 (유)C 책임 하에 실행한다(신탁특약 제11조).'고 정하고 있다.

4) 이 사건 임대차계약 체결 시 작성된 중개대상물 확인설명서의 '실제 권리관계 또는 공시되지 않은 물건의 권리사항'란에는 "임차인은 신탁원부의 내용을 모두 확인하였다. 임차인은 위 소재지가 신탁회사의 물건임을 확인하였으며 그에 관한 내용은 모두 동의하였다."고 기재되어 있다.

5) 이 사건 임대차계약은 2021. 4. 2.까지 묵시적으로 갱신되었다.

6) 원고와 피고 회사는 2021. 4. 3.경 계약기간을 2021. 4. 3.부터 2022. 4. 2.까지로 하는 임대차계약서를 다시 작성하였다. 위 임대차계약

서 특약사항 제10항은 '본 계약은 연장계약이며 보증금은 상계처리하기로 한다.'고 정하고 있다.

다. 보증금 미반환 등

1) 원고는 2022. 1.부터 3.까지 여러 차례 피고 회사에 이 사건 임대차계약을 갱신하지 않겠다고 통보하였다.

2) 피고 회사는 이 사건 변론종결일 현재까지 보증금을 반환하지 않고 있다.

라. 공제계약의 체결

한편 피고 한국공인중개사협회(이하 '피고 협회'라 한다)는 피고 E과 사이에, 피고 E이 2018. 6. 16.부터 2019. 6. 15.까지의 공제기간 중 중개행위를 함에 있어서 거래당사자에게 손해를 발생하게 하여 손해배상책임을 지는 경우 공제금액 1억 원 한도 내에서 이를 보상하는 내용의 공제계약(이하 '이 사건 공제계약'이라 한다)을 체결하였다.

위 사례는 신탁등기가 되어 있는 물건에 임차인이 계약 후 입주하였는데 계약 만료 후 보증금을 반환받지 못하였던 사례로, 저자가 직접 임차인의 대리를 맡아 소송을 수행한 사례이다.

이러한 경우 임차인이 대항력 및 우선변제권을 갖추기 위하여 전입신고와 점유, 확정일자까지 갖추었음에도 건물을 경매할 수 없고, 결국 위 사례에서는 공인중개사를 상대로 손해배상청구를 하여 보증금의 일부를 변제받았는데, 왜 이러한 사기피해를 당하게 되는지 아래에서 살펴본다.

많은 임차인 분들이 '전세계약을 할 때 전입신고하고 이사와서 확정일자 바로 받으면 안전한거 아닌가 '라는 생각을 가지는 경우가 많다.

그러나, 위 사례와 같이 신탁등기가 되어 있는 물건에 임대차계약을 체결하여 보증금을 제공하였는데, 임대인이 보증금을 반환하지 않는 경우에는 임대인을 상대로 소송을 하여 판결을 받더라도 임대목적물을 경매로 넣어서 보증금을 반환받는 것이 불가능하게 된다.

신탁등기란 말 그대로 신탁, 즉 '남에게 맡긴다'라는 것으로 생각하면 쉽게 이해할 수 있다. 물건을 맡기고 전당포에 돈을 빌리는 것처럼, 빌라 건물을 짓는 건물주는 건축비를 조달하기 위해 담보로 대출을 받으면서 돈을 더 많이 빌리기 위하여 담보신탁방식, 즉 위와 같이 물건을 맡겨놓고 돈을 빌리듯이 건물의 소유권을 신탁회사에 맡겨 놓고 돈을 빌리는 것이다.

7	소유권이전	2016년3월30일 제[illegible] 1호	2016년3월30일 신탁	수탁자 자산신탁주식회사 110111- 36 서울특별시 강남구 2[illegible]
				신탁 신탁원부 제2016-[illegible] 호

↑**신탁등기 예시. 신탁등기가 되어 있는 경우는 등기부 '갑'구에 위와 같은 기재가 되어 있다.**

이러한 경우 건물을 지은 건축주는 분양계약(매매계약)을 하면서 매매대금으로 은행빚을 변제하고 신탁등기를 말소하여 주는 경우가 가장 통상적인 방법이고 깔끔한 방법일 것이나, 빌라나 오피스텔 등 건축주의 의도와 달리 분양이 잘 되지 않는 경우 이런 건물을 전세로 돌리는 경우가 흔하다.

그런데 이러한 신탁등기물건에 전세사기 문제가 터지는 이유는 앞서 개념을 정리하면서 확인한 바와 같은 대항력의 성질에 기인한 것으로, 대항력이 발생하기 위하여는 임대목적물의 소유자와 체결하거나 적어도 적법한 임대권한을 가진 자와 임대계약을 하여야 한다는 맹점을 노린 사기라 할 수 있다.

앞서 말씀드린 두 개념을 더해서 생각해 보면, 신탁이란 말 그대로 남에게 소유권을 맡기는 것이고, 그렇다면 신탁등기가 되어 있는 건물의 건축주는 소유권자가 아니라는 것이다. 그렇다면 임차인에게 대항력이 발생하려면 소유자가 아니니 적어도 적법한 임대권한이 있는 자여야 하는데, 이 자가 적법한 임대권한이 있는지를 확인하려면 등기소에 직접 가서 신탁원부를 발급받아 보아야 하며, 인터넷등기소에서 발급받아보는 통상적인 등기부로는 이러한 신탁원부의 발급이 불가능하다.

사기꾼은 이러한 맹점을 노리는 것으로, 사기꾼은 임차인에게 '근저당권이 없고 깨끗한 건물이다'라고 거짓말을 하는가 하면, 건물주가 소유권자로 등기되어 있지 않아 의아함을 품는 임차인에게는 '건물을 지으면서 대출을 받기 위해 등기된 것으로 안전하며 임대인의 재산이 많다'라고 하거나 '신탁등기가 되어 있지만 내가 지은 건물로 은행에서 돈을 조금 빌린 것이니 임대권한은 내가 갖고 있다'며 안심을 시키는 경우까지도 볼 수 있다.

그런데, 실제로는 이러한 설명과는 달리 대부분의 신탁등기가 되어 있는 건물의 신탁원부를 살펴보면, 건축주는 신탁사나 대출기관의 동의를 받지 않는 한 임대를 할 권한이 없거나, 설령 동의를 받는다 하더라도 건물의 소유자인 신탁사는 보증금반환의 책임을 지지 않는다는 취지의 문구가 기재되어 있는 경우가 대부분이다.

결국 신탁등기가 되어 있는 대부분의 건물은 임대인이 소유자도 아니고 적법한 임대권한을 가진 자도 아니므로, 이러한 건물을 임차한 임차인은 대항력이 없으며 우선변제권도 당연히 존재하지 않으니 건물을 경매로 넘겨 보증금을 돌려받을 길도 없는 문제가 발생하는 것이다.

제10조 (임대차 등)

1. 이 신탁계약 이전에 甲과 임차인 간에 체결한 임대차계약이 있을 경우 그 임대차계약은 그 상태로 유효하며 임대차보증금의 반환의무, 기타 임대인으로서의 책임 및 권리 등 甲이 임대인의 지위를 계속하여 유지하는 것으로 한다. 단, 임대차계약상 임대인의 명의를 乙로 갱신하고 임대차보증금을 甲과 乙 간에 인수·인계하는 경우에는 임대인의 지위를 乙이 승계하는 것으로 한다.
2. 제1항의 경우 임대차보증금 외에 임차인이 甲에게 지급하는 차임이 있을 때에는 그 차임은 甲이 계속 수령하는 것으로 하며, 甲이 수령하는 차임은 이 신탁계약과 관련하여 우선수익자와 주채무자 간의 여신거래계약 및 보증채무계약상 원리금상환에 우선적으로 충당함을 원칙으로 한다. 단, 甲이 물상보증인인 경우에는 보증채무가 발생한 경우부터 그러하다.
3. 신탁기간 중 임대차계약기간의 만료 또는 임대차계약의 해지 등으로 인하여 임대인 명의를 甲으로 하는 새로운 임대차계약을 체결하는 경우 제9조 제2항에 따라 乙의 사전승낙을 얻어야 한다. 이 경우 乙은 임대차계약과 관련하여 권리의무를 부담하지 않으며, 제18조의 경우에 임차인에 대한 명도청구 등 乙의 조치사항을 임대차계약서에 명기하여야 한다.
4. 제3항의 규정에 불구하고 甲이 임의로 체결한 임대차계약은 이로써 乙에게 그 효력을 주장할 수 없으며, 그로인해 발생되는 일체의 손해는 甲은 乙에게 배상하여야 한다.
5. 제3항의 규정에 의하여 甲 명의로 새로운 임대차계약을 체결하는 경우 임차인의 요구가 있으면 甲과 乙이 공동날인한다.
6. 신탁계약기간 중 임대인 명의를 乙로 하는 새로운 임대차계약을 체결하는 경우에는 甲과 乙 간에 별도의 약정을 체결하여 그에 따르기로 한다.
7. 신규 임대차보증금 또는 재임대차보증금이 기임대차보증금보다 많을 경우에는 乙이 우선수익자와 협의하여 그 차액에 대해 처리하거나 甲과 乙 간 특약을 체결하여 그에 따라 乙이 관리하도록 한다.

↑신탁원부 예시. 신탁등기가 되어 있는 경우 등기소에 가서 위와 같은 신탁원부를 발급받을 수 있는데, 신탁원부 대부분은 위와 같이 '임의로 체결한 임대차계약은 신탁회사에게 효력을 주장할 수 없다'는 취지의 문구가 기재되어 있다.

결국 보증금을 반환받기 위해서는 건축주를 상대로 소송을 하는 수 밖에 없는데, 건축주가 돈이 없는 경우 난감한 상황에 빠지게 되는 것으로, 이러한 피해를 일부라도 보전받는 방법은 공인중개사를 상대로 하여 중개과실을 이유로 한 손해배상을 청구하는 방법이 그나마 현실적인 대안일 수 밖에 없다.

아래 판결사례는 저자가 직접 피해를 입으신 임차인을 대리하여 소송에서 승소한 판결사례로, 공인중개사가 신탁등기가 되어 있는 사실 자체는 임차인에게 계약 당시 알려주었다 하더라도 손해배상책임을 면할 수는 없다는 판결을 내렸고, 임차인은 한국공인중개사협회의 공제금을 통해 보증금 일부를 돌려받게 되었는 바, 아래에서 판결 전문을 소개한다.

判 例

부산지방법원 동부지원 2023. 11. 21. 선고 2023가단1*** 판결**

3. 피고 E, F 및 피고 협회에 대한 청구에 관한 판단

가. 손해배상책임의 발생

1) 공인중개사는 신탁등기가 되어 있는 부동산에 대한 임대차계약을 중개함에 있어 신탁원부를 제시하면서 해당 부동산에 관한 신탁관계 설정사실 및 그 법적인 의미와 효과, 즉 수탁자가 해당 부동산의 소유자이므로 그 임대차계약은 임대인 소유가 아닌 부동산에 관한 것이고, 이에 대하여 수탁자의 사전승낙이나 사후승인이 없다면 임대차계약으로 수탁자에게 대항할 수 없다는 점을 성실하고 정확하게 설명해야 할 의무가 있고, 신탁법상 신탁을 하게 되면 수탁자는 제3자에 대한 관계에서 소유권자가 되는 법적 효과에 대하여 충분히 설명하지 아니한 경우 공인중개사법 제30조 제1항에 따라 중개의뢰인이 입은 재산상 손해를 배상할 책임이 있다(대법원 2012. 8. 30. 선고 2011다76754 판결 등 참조).

2) 앞서 인정한 사실관계를 종합하여 알 수 있는 아래와 같은 사정들에 비추어 보면, 이 사건 임대차계약을 중개한 공인중개사 E이나 직접 중개행위를 한 중개보조원인 피고 F은 신탁부동산에 관한 중개를 함에 있어 요구되는 설명의무를 위반하였다고 봄이 타당하다. 한편 이러한 설명의무 위반은 고의 또는 과실로 인한 위법행위로 원고에게 손해를 가한 것이므로 원고에 대한 불법행위에

도 해당한다.

따라서 피고 E은 공인중개사법 제30조 제1항에 따라 위 설명의무 위반으로 인해 원고가 입은 손해를 배상할 의무가 있고, 피고 F은 민법 750조 제1항에 따라 불법행위자로서 같은 의무가 있으며, 피고 협회 또한 공제사업자로서 위 피고들과 공동하여 이를 배상할 책임이 있다.

① 이 사건 신탁계약 제11조 제2항의 내용에 따르면, 이 사건 부동산에 관한 임대차계약 체결에는 신탁회사와 우선수익자의 서면동의가 있어야 함이 명백하다. 신탁회사 등의 서면동의가 없는 경우에는 임차인이 주택임대차보호법상 대항력을 취득할 수 없어 부동산 환가절차에서 임대차보증금을 회수하는 것이 거의 불가능해지므로, 이는 중개인이 가장 명확하게 그 내용과 법적 효과 등을 설명했어야 하는 부분이다.

② 이 사건 임대차계약 체결에 관하여 신탁회사 등의 사전 서면동의가 없었음에도 이 사건 임대차계약서나 중개대상물 확인설명서에는 이에 관한 아무런 직접적인 기재가 없다. 피고 E, F은 이 사건 임대차계약 특약사항 제2항이나 중개대상물 확인설명서의 내용을 들며 충분한 설명을 하였다는 취지로 주장하나, 위 각 내용에는 사전 서면동의가 없었다는 것이 기재되어 있지 않고 그저 이 사건 부동산이 신탁회사의 소유인데 이를 피고 회사가 임대한다거나 신탁원부의 내용을 확인하였다고만 되어 있을 뿐인바, 그러한 내용만으로 사전 서면동의가 없었다는 점 및 그에 따른 법률효과까지 충분히 설명되었다고 볼 수 없다.

③ 이 사건 임대차계약의 계약조건이나 그밖에 다른 부분을 보더라도 원고가 이 사건 부동산의 환가절차에서 임대차보증금을 회수하지 못할 가능성을 인지한 상태에서 이를 감수하고라도 이 사건 임대차계약을 체결하였을 뚜렷한 이

유를 찾기 어렵다(피고 E은, 당초 임대인이 보증금으로 5,500만 원을 요구하였는데 임대차계약의 위험성을 인지한 원고의 요구로 보증금이 4,000만 원으로 감액되었다는 취지로 주장하나, 을나 제2호증의 1, 2의 각 기재만으로는 위 주장사실을 인정하기 부족하고, 달리 이를 인정할 증거가 없다).

3) 피고들의 주장에 관한 판단

가) 피고 E, F은, 피고 회사가 임대차보증금을 반환하지 않고 있을 뿐이고, 이 사건 임대차계약 체결 이후로 이미 4년이 지났으며 원고가 임대차계약을 갱신하는데 위 피고들이 개입하지도 않았으므로, 원고의 손해는 중개행위와는 무관하다는 취지로 주장한다.

그러나 위 피고들의 부족한 설명으로 인해 원고는 신탁회사 등의 동의 여부에 대하여 제대로 알지 못한 채 이 사건 임대차계약을 체결하기에 이른 점, 신탁회사 등의 동의가 없었기 때문에 원고가 임대차보증금을 경매절차 등을 통하여 회수하는 것이 사실상 불가능하게 된 점, 계약갱신은 빈번하게 일어나는 것으로 그러한 사정만으로 인과관계가 단절된다고 볼 수는 없는 점 등을 고려하면, 위 피고들의 설명의무 위반과 손해발생 사이에는 상당인과관계가 있다고 보는 것이 타당하다. 위 피고들의 위 주장은 이유 없다.

나) 피고 E은 이 사건 임대차계약 특약사항 제1항에 따라 중개인은 책임이 없다는 취지로도 주장한다.

그러나 이 사건 임대차계약 특약사항 제1항은 그 문언내용상 등기부등본 열람시간 이후 압류, 근저당권설정, 가압류 등이 발생했을 때의 중개인의 책임 여부를 정한 것임이 분명하고, 이는 이 사건에서 문제되는 설명의무 위반과는 관계없다. 위 피고의 위 주장은 이유 없다.

다) 피고 협회는 '원고와 피고 회사는 2021. 4. 3. 새로운 임대차계약을 체결하

면서 보증금을 상계한다고 정하였는데, 이는 민법 제500조에서 정한 경개에 해당하는 것으로 이 사건 임대차계약의 임대차보증금 반환채권은 이미 소멸한 것이다. 원고의 손해는 새로운 임대차계약에 따른 것이지 피고 E의 중개행위로 인한 것이 아니다.'는 취지로 주장한다.
그러나 2021. 4. 3. 임대차계약서에 '연장계약'이라고 명시되어 있는 점에 비추어 피고 협회가 주장하는 사정만으로 2021. 4. 3.자 계약의 성격을 경개계약이라고 보기는 어렵다. 설령 법적성격을 그와 같이 보더라도 그러한 사정만으로 인과관계가 단절된다고 볼 수도 없다. 피고 협회의 위 주장은 이유 없다.

라) 피고 협회는 '만약 피고 E이 신탁과 관련하여 거짓말을 하는 등의 방법으로 중개의뢰인의 판단을 그르치게 하는 행위를 하였다면, 이는 공인중개사법 제33조 제1항 제4호가 금지하는 사항에 해당하는 것이다. 이 사건 공제계약에 적용되는 공제약관 제7조 제5호가 '법 제33조의 규정에 의거 개업 공인중개사의 금지행위로 정하고 있는 중개행위 등으로 발생한 손해'는 보장하지 않는다고 정하고 있으므로, 피고 협회는 위 공제약관 규정에 따라 책임이 없다.'는 취지로 주장한다.

(1) 공인중개사법 제33조 제1항 제4호는 '당해 중개대상물의 거래상의 중요사항에 관하여 거짓된 언행 그 밖의 방법으로 중개의뢰인의 판단을 그르치게 하는 행위'를 금지행위로 정하고 있고, 피고의 공제약관 제7조 제5호는 '공인중개사법 제33조의 규정에 따라 중개업자의 금지행위로 정하고 있는 중개행위 등으로 발생한 손해에 대하여는 보상하지 않는다.'라고 정하고 있다(을라 제1호증).

(2) 우선 피고 E, F이 신탁부동산에 관한 중개를 함에 있어 요구되는 설명의무를 위반하였다는 것을 넘어 적극적으로 거짓말을 하였다고까지 인정할만한 자

료는 없으므로, 이를 두고 공인중개사법 제33조 제1항 제4호가 정한 '당해 중개대상물의 거래상의 중요사항에 관하여 거짓된 언행 그 밖의 방법으로 중개의뢰인의 판단을 그르치게 하는 행위'에 해당한다고 단정하기 어렵다.

(3) 나아가 피고 E, F의 행위를 공인중개사법 제33조의 규정에 따라 금지되는 행위로 보더라도, 피고 협회가 공제약관 제7조 제5호를 근거로 원고에게 대항할 수는 없다고 할 것이다. 구체적인 이유는 아래와 같다.

① 관련 법리: 피고 협회가 운영하는 공제사업은 형식적으로는 중개업자의 불법행위 또는 채무불이행을 보험사고로 하는 상호보험계약과 유사하지만 실질적으로는 보증의 성격을 가지고 보증계약과 같은 효과를 목적으로 한다. 공인중개사법 제30조는 '개업공인중개사는 중개행위를 함에 있어서 고의 또는 과실로 인하여 거래당사자에게 재산상의 손해를 발생하게 한 때에는 그 손해를 배상할 책임이 있다. 개업공인중개사는 업무를 개시하기 전에 위 손해배상책임을 보장하기 위하여 대통령령이 정하는 바에 따라 보증보험 또는 제42조의 규정에 의한 공제에 가입하거나 공탁을 하여야 한다.'고 정하고 있다. 거래당사자는 공제계약을 신뢰하여 중개업자의 중개행위에 따라 부동산거래를 하는 경우가 보통이므로, 일반적으로 타인을 위한 보험계약에서 보험계약자의 사기를 이유로 보험자가 보험계약을 취소하면 보험사고가 발생하더라도 피보험자는 보험금청구권을 취득할 수 없는 것과는 달리, 이 사건 공제계약의 경우에는 거래당사자가 중개업자의 공제 가입을 확인한 후 중개업자의 중개행위에 따라 거래계약을 체결하거나 혹은 구 부동산중개업법에서 정한 공제 등에 의하여 손해배상책임이 보장될 것이라는 신뢰 아래 중개업자에게 중개를 의뢰하면서 금원을 교부하는 등으로 공제계약의 채권담보적 기능을 신뢰하여 새로운 이해관계를 가지게 되었다면 그와 같은 거래당사자의 신뢰를 보호할 필요가 있다. 그러므로 주채무자에 해당하는 중개업자가 공제계약을 체결하면서 피

고 협회를 기망하였다는 이유로 피고 협회가 공제계약 체결의 의사표시를 취소하였다 하더라도, 거래당사자가 그와 같은 기망행위가 있었음을 알았거나 알 수 있었다는 등의 특별한 사정이 있는 경우가 아닌 한 그 취소를 가지고 거래당사자에게 대항할 수 없다. 그리고 이러한 법리는 '피고 협회가 중개업자와 체결하는 공제계약에 관하여 공제가입자 또는 그 대리인의 사기가 있었을 때에는 무효로 한다.'는 공제약관에 의하여 피고 협회가 공제계약의 무효를 주장하는 경우에도 마찬가지로 적용된다(대법원 2012. 9. 27. 선고 2010다101776 판결 등 참조).

② 제한적 해석의 필요성: 공제가입의무를 정한 공인중개사법의 취지, 공제사업의 목적과 성격, 거래당사자들의 공제계약에 대한 신뢰와 그에 따른 부동산거래 등을 고려하면, 공제약관 제7조 제5호의 내용은 공인중개사법 제30조와 이를 명확히 한 공제약관 제6조('보상하는 손해'로 '공제가입자가 공인중개사법에서 정하고 있는 부동산 중개행위를 함에 있어서 고의 또는 과실로 인하여 거래당사자에게 재산상의 손해를 발생하게 한 손해'를 규정하고 있다)에 반하고 피고 협회의 손해배상책임을 공제계약의 목적을 달성할 수 없을 정도로 제한하는 것이므로, 그 효력을 바로 인정하기는 어렵고 매우 제한적으로 해석하여야 할 것이다.

③ 이 사건에 관하여 보건대, 원고는 이 사건 임대차계약을 체결함에 있어 이 사건 공제계약의 채권담보 기능을 신뢰하여 이해관계를 가지게 되었다. 원고가 피고 E, F의 행위가 공인중개사법 제33조 위반에 해당하는 행위라는 것을 알았다거나 알 수 있었다고 볼 만한 특별한 사정도 찾아볼 수 없다. 이러한 사정에다가 앞서 본 관련법리 및 제한적 해석의 필요성을 더하여 보면, 피고 협회가 원고를 상대로 공제약관 제7조 제5호를 들어 면책을 주장할 수 없다고 보는 것이 타당하다.

나. 손해배상책임의 범위

1) 손해액

피고 E의 설명의무 위반 또는 피고 F의 불법행위로 원고가 입은 손해는 특별한 사정이 없는 한 임대차보증금 상당액인 4,000만 원이라 할 것이다.

이에 대하여 피고 E은 이 사건 부동산이 인도되지 않은 상황이므로 아직 임대차보증금 손해가 발생하지 않았다는 취지로 주장한다. 그러나 ① 이 사건 부동산의 수탁자가 언제든지 원고에 대하여 이 사건 부동산의 인도를 구할 수 있는 점, ② 원고가 이 사건 임대차계약 종료 이후 이 사건 변론종결일까지 1년이 훨씬 넘도록 임대차보증금을 반환받지 못하고 있는 점, ③ 원고는 이 사건 부동산의 경매절차에서 주택임대차보호법에 따른 대항력을 주장하여 우선적으로 임대차보증금을 회수할 수 없고, 그 밖에 피고 회사의 변제자력이 확보된다고 볼 만한 자료가 전혀 없는 점 등에 비추어 보면, 원고에게 임대차보증금 상당액의 손해가 확정적으로 발생하였다고 보는 것이 타당하다. 위 피고의 위 주장은 이유 없다.

2) 손해배상책임의 제한

가) 부동산 거래당사자가 중개업자에게 부동산거래의 중개를 위임한 경우 중개업자는 위임 취지에 따라 중개대상물의 권리관계를 조사·확인할 의무가 있고 그 주의의무를 위반할 경우 그로 인한 손해를 배상할 책임을 부담하지만, 그로써 중개를 위임한 거래당사자 본인이 본래 부담하는 거래관계에 대한 조사, 확인 책임이 중개업자에게 전적으로 귀속되고 거래당사자는 그 책임에서 벗어난다고 볼 것은 아니다. 따라서 중개업자가 부동산거래를 중개하면서 진정한 권리자인지 여부 등을 조사·확인할 의무를 다하지 못함으로써 중개의뢰인에게 발생한 손해에 대한 배상의 범위를 정하는 경우, 중개의뢰인에게 거래관계

를 조사, 확인할 책임을 게을리 한 부주의가 인정되고 그것이 손해 발생 및 확대의 원인이 되었다면, 피해자인 중개의뢰인에게 과실이 있는 것으로 보아 과실상계를 할 수 있고, 이것이 손해의 공평부담이라는 손해배상제도의 기본원리에 비추어 볼 때에도 타당하다(대법원 2012. 11. 29. 선고 2012다69654 판결 등 참조).

나) 이 사건 임대차계약 체결 당시 이 사건 부동산에 관하여 신탁등기가 마쳐져 있다는 사실을 알고 있었던 원고로서는, 이 사건 임대차계약에 대한 동의 여부를 수탁자나 우선수익자에게 직접 문의하거나 임대인 측에 동의서의 교부를 요구하는 등의 방법으로 이 사건 임대차계약의 체결 여부를 신중하게 결정했어야 함에도 이를 소홀히 한 잘못이 있다. 이러한 사정을 참작하여 피고 E, F 및 피고 협회의 책임을 손해액의 50%로 제한한다.

이처럼, 신탁등기를 간과하고 임대차계약을 체결하고 보증금을 제공하는 경우 돌이킬 수 없는 결과를 초래하게 된다. 신탁회사의 임대차 계약동의서를 받으면 괜찮다고 하는 경우도 일부 있으나, 이러한 동의가 있는 경우에도 신탁사는 보증금반환의 책임이 없다고 명시하는 등 법적인 분쟁이 발생할 수 있는 씨앗을 안고 있는 경우가 대부분이므로, 신탁등기가 되어 있는 건물에는 되도록 전세계약을 체결하지 않는 것을 권해드리고 싶다.

2-2. 신탁등기말소해주겠다 전세사기

실제사례

원고는 2021. 7. 21. 무렵 인터넷 부동산 사이트에서 〈주소〉 외 3필지 소재 P 〈호수〉(이하 '이 사건 부동산'이라 한다)가 매물로 나온 것을 보고 O부동산(이하 '이 사건 중개업소'이라 한다)에 연락을 하였다.

피고 F은 이 사건 중개업소의 중개보조인으로 원고 관련 업무를 처리한 사람이고, 피고 E은 위 업소 공인중개사이며 피고 한국공인중개사협회(이하 '피고 협회'라 한다)는 피고 E을 위한 공제사업자이다.

이 사건 부동산은 소유자이던 피고 C는 2019. 12. 30. 신탁을 원인으로 주식회사 우리은행(이하 '우리은행'이라 한다)에 소유권이전등기(이하 '이 사건 신탁등기'라 한다)를 마쳐준 바 있었으며 실제로 이 사건 부동산에 관한 업무는 피고 C의 아들인 피고 D이 맡아 처리하고 있었다.

원고는 2021. 7. 21. 피고 E의 중개로 피고 C와의 사이에 이 사건 부동산에 관하여 임대차보증금 297,000,000원, 임대차기간 2021. 10. 5.부터 2023. 10. 4.까지로 정한 임대차계약(이하 '이 사건 임대차계약'이라 한다)을 체결하고 당일 계약금 29,700,000원을 지급하였다.

이 사건 임대차계약상 아래와 같은 특약이 있다.

> 한다.
> 4.임대인은 신탁말소접수증을 입주당일에 임차인에게 교부한다.
> 5.임대인은 본계약 이후 담보제공 및 제한물건설정을 하지 않으며, 임차인을 전세권자 1순위로 하는데 동의한다.
> 6.만약 위 내용이 이행되지 않을 경우 본계약은 무효가 되며 임대인은 임차인에게 계약금 전액을 즉시 반환하기로 한다.

원고는 잔금지급기일인 2021. 10. 5. 15:00경 67,300,000원을 입금하고, 같은 날 Q은행에서 대출을 받아 200,0000,000원을 입금하였다.

원고는 67,300,000원 입금 후 피고 F에게 문자를 보냈는데 피고 F은 "감사합니다. 바로 확인하고 신탁말소처리진행하겠습니다~"고 답변하였다. 같은 날 원고는 피고 F에게 "부산은행에서 임대인 잔금 영수증, 신탁말소 및 소유권이전 접수증 언제 줄 수 있느냐고 묻는다"고 하자 피고 F은 "통화중이라서 연락이 안된다. 다시 연락해보겠다"고 하면서 "신탁말소같은 경우 4~5시 이전에 접수가 되어야 하는데 내일 12시이전까지 처리하기로 은행권이랑 이야기나눠놓았다"고 답변하였다.

원고는 2021. 12. 28. 피고 C와 함께 우리은행에 '임대차계약에 대한 확인서'라는 문건에 날인해 주었다. 그 내용은 아래와 같다.

거 상기와 같은 조건으로 위탁자가 임대행위를 하는 것에 동의하며, 임차인 역시 아래 조건으로 임대차하는 것에 대하여 동의하는바 수탁자 및 우선수익자를 상대로 이의(민원, 소송 등)를 제기하지 않을 것을 확약합니다.

- 아 래 -

1. 임차인은 임차목적물에 대한 신탁원부(신탁계약)에 대하여 충분한 설명을 듣고 이해하였음.

2. 수탁자는 임대인이 아니므로 임대차보증금 반환의무를 포함한 임대인의 의무를 부담하지 아니하며, 임차인은 수탁자에게 임대차보증금을 청구하거나 임대인의 의무이행을 일체 요구할 수 없음.

3. 임차목적물의 처분으로 소유권이 변동되는 경우 소유권 양수인이 임대인 지위를 승계하는 것에 사전 동의하며, 수탁자에게 임차보증금 반환을 청구하지 않음.

현재까지 이 사건 신탁등기는 말소되지 아니하였고, 피고 D은 이 사건 신탁등기를 말소할 의사나 능력이 없이 원고를 기망하여 임대차보증금을 편취하였다는 내용의 공소사실 등으로 공소제기되어 1심에서 유죄판결을 받았다.

위 사례는 신탁등기가 되어 있는 물건에 임차인이 계약 후 입주하였는데 임대인이 받은 보증금으로 대출금을 변제하여 신탁등기를 말소하여 주기로 하였으나 신탁등기가 말소되지 않았고 계약 만료 후 보증금을 반환받지 못하였던 사례로, 저자가 직접 임차인의 대리를 맡아 소송을 수행한 사례이다.

이러한 경우 임차인이 대항력 및 우선변제권을 갖추기 위하여 전입신고와 점유, 확정일자까지 갖추었을 뿐 아니라, 처음부터 신탁등기는 문제가 어느 정도 있다는 사실을 알고 임대인에게 지급하는 보증금으로 신탁등기를 말소하여 주기로 약정까지 하였음에도 지급한 보증금으로 신탁등기가 말소되지 않아 사기를 당하게 된 사례인데, 왜 이러한 사기피해를 당하게 되는지 아래에서 살펴본다.

이번에는 그래도 신탁등기에 대해 어느 정도 위험하다는 사실을 인지하고 계셨음에도 불구하고 사기피해를 당하신 안타까운 사례를 소개해 드리고자 한다.

최근에는 그래도 어느 정도 신탁등기에 대하여 인지를 하고 계신 분들이 있어, 위 사례와 같이 보증금으로 신탁등기를 말소하는 특약을 기재하고 임대차계약을 체결하는 경우도 가끔 볼 수 있다.

그런데, 이렇게 임대인에게 보증금을 제공하였지만 금융기관에 변제를 하지 않거나 신탁물건에 보전처분이 되어 있는 등의 사유로 신탁등기가 말소되지 않는다면, 결과는 앞서 소개해 드린 신탁등기전세사기와 똑같이 대항력도 없고 우선변제권도 당연히 없어서 건물을 경매로 넘겨 보증금을 반환받는 것 자체가 불가능하게 되는 동일한 결과가 발생하게 된다.

결국 보증금을 반환받기 위해서는 임대인을 상대로 소송을 하는 수 밖에 없는데, 임대인이 저런 상황에서 재산이 없을 가능성은 매우 높다. 이러한 피해를 일부라도 보전받는 방법은 결국 공인중개사를 상대로 하여 중개과실을 이유로 한 손해배상을 청구하는 방법이 그나마 현실적인 대안일 수 밖에 없는데, 피해액 전액을 보전받기는 어려운 것이 현실이다.

아래 판결사례는 저자가 직접 피해를 입으신 임차인을 대리하여 소송에서 승소한 판결사례로, 아래에서 판결 전문을 소개한다.

判 例

부산지방법원 2023. 9. 20. 선고 2022가단34**** 판결

2. 원고의 피고 D, C에 대한 청구

피고 D이 원고를 기망하여 원고로부터 297,000,000원을 편취한 사실은 원고와 피고 D 사이에 다툼이 없다. 피고 D은 원고에게 불법행위로 인한 손해배상금 297,000,000원 및 이에 대한 불법행위일인 2021. 10. 5.부터 다 갚는 날까지 소송촉진 등에 관한 특례법이 정한 연 12%의 비율에 의한 돈을 지급할 의무가 있다.

원고가 피고 C와의 사이에 이 사건 임대차계약을 체결하고 그 무렵 원고가 피고 C에게 임대차보증금 297,000,000원을 지급한 사실은 앞서 본바와 같고, 원고는 소장의 송달로서 피고 C의 채무불이행을 이유로 이 사건 임대차계약을 해지하겠다는 의사를 표시하였다.
피고 C는 피고 D과 공동하여 297,000,000원을 지급할 의무가 있다

3. 원고의 피고 E, F, 협회에 대한 청구
가. 당사자들의 주장
원고가 피고 E, F의 중개과실을 이유로 공인중개사법 제30조 제1항에 개한 책임을, 피고 협회를 상대로는 공제금의 지급을 구하는데 대하여 피고 E, F, 협회는 이에 대하여 다음과 같이 주장한다.

"피고 E, F은 이 사건 임대차계약을 중개할 당시 원고에게 ① 이 사건 부동산의 등기부등본을 보여주면서 신탁이 되어 있으며, 위 신탁관계의 법적인 의미 및 효과, ② 이 사건 부동산은 대내외적으로 우리은행이 소유자라는 점, ③ 이 사건 임대차계약은 신탁계약에 따라 신탁회사의 사전 승낙을 받지 못하면 원고는 위 임대차계약으로서 신탁회사에 대항할 수 없는 사실, ④ 신탁계약에 따라 우선수익자의 동의를 얻어 C 명의로 이 사건 임대차계약을 체결하더라도 신탁등기가 말소되지 않는다면 원고는 이 사건 부동산에 전입신고를 마치더라도 주택임대차보호법상 우선변제권을 인정받지 못하게 되고 사실상 전세권설정등기를 마치

는 것이 불가능해 질수 있다는 사실, ⑤ 신탁등기가 말소되지 않은 상태에서 신탁계약에 따라 이 사건 부동산이 환가·처분될 경우 원고는 그 처분대금으로 부터 임대차보증금을 환수하는 것이 곤란해 질 수도 있다는 사실 등에 대하여 원고에게 충분한 설명과 고지를 하였다. 피고들은 이 사건 임대차계약이 체결이 된 후 이 사건 부동산의 수탁자인 우리은행으로부터 임대차 계약에 대한 확인서를 받으면서 원고에게 이 사건 부동산의 신탁과 관련한 설명을 전부 다하였고, 이에 원고는 위 임대차계약에 대한 확인서에 본인 스스로 직인날인을 하였다"

나. 손해배상책임의 발생

공인중개사법상 공인중개사는 중개의뢰인에게 법령(공인중개사법 제25조 제1항, 같은 법 시행령 제21조 제1항)이 정한 사항을 성실·정확하게 설명하고 설명의 근거자료를 제시할 의무가 있고, 확인·설명을 위하여 필요한 경우에는 중개대상물의 임대의뢰인에게 해당 중개물의 상태에 관한 자료를 요구할 권한이 있으며 임대의뢰인 등이 자료 요구에 불응한 경우에는 그 사실을 임차의뢰인에게 설명하여야 한다(제25조).

앞서본 증거들 및 갑 제8, 9호증의 1, 2의 각 기재에 의하면 다음의 각 사실이 인정된다.

○ 피고 F, E은 피고 C로부터 신탁에 관련된 자료를 요구하거나 제출받지 않은 것으로 보이고, 피고 C를 통해서나 직접 수탁사인 우리은행에게 신탁등기말소 가능여부를 확인하지 않은 것으로 보인다. 피고 E의 또다른 중개보조인인 M은 "저희도 이걸 다 알고 사람들이 이기 전세 신탁 말소 조건으로 들어가는 거는, 거진 우리가 이제 특약에 달고 하기 때문에 우리는 전적으로 이거는 집주인들 말에 의존할 수밖에 없거든요"라고 말하기도 하였다.

○ 피고 F, E은 이 사건 부동산에 우리은행 명의의 신탁등기가 마쳐진 사실은

설명하였다. 그러나 위 법률의 취지를 고려할 때 공인중개사의 설명은 등기부 등본만 열람하면 알 수 있는 신탁등기 사실 뿐만 아니라 그를 둘러싼 권리관계와 법률적 의미에 대해서까지 이루어져야 한다. 이에 관하여 상세히 설명하였다는 앞서본 피고 F, E의 주장은 다음과 같은 사정에 비추어 믿기 어렵다.

○ F은 원고가 잔금을 송금하자 "감사합니다. 바로 확인하고 신탁말소처리진행하겠습니다~"라고 답변하였다. 피고 F이 원고가 잔금을 납입하고 나면 특별한 문제 없이 즉시 C로 소유권이전등기가 가능한 것과 같이 설명했음을 알 수 있다.

○ 우리은행에 대한 확인서가 작성된 것은 2021. 12. 28.로서 이 사건 임대차계약 당시에는 수탁자인 우리은행은 이 사건 임대차계약이 체결된다는 사실도 알지 못한 것으로 보인다. 그럼에도 피고 F은 2021. 10. 5.경 원고에게 "신탁말소같은 경우 4~5시 이전에 접수가 되어야 하는데 내일 12시이전까지 처리하기로 은행권이랑 이야기나눠놓았다"고 답변하기도 하였다.

○ F은 이 사건 확인서 작성 무렵인 2021. 12. 23. 원고에게 이 사건 확인서에 대해서 다음과 같이 설명을 했다.
-이 사건 임대차계약은 현재 대항력이 갖추어져 있지 않은 상태인데 '신탁 동의서'를 얻게 되면 신탁사한테 대항력이 갖춰진다. 신탁사와 계약한 것과 똑같은 효과를 가지게 된다.
-(원고의 처가 '사전동의서 날짜가 계약일 이후인데 문제가 없는지 묻자) "네 대항력을 갖출 수 있는 건 확실하고요"
이와 같이 피고 F, E은 이 사건 확인서를 신탁사에 대한 '대항력'을 갖추는 문건으로 설명하였을 뿐이고, 이 확인서를 통해 원고가 신탁에 관한 제반사실을 인지하고 있었다고 하는 피고 F, E의 주장은 받아들이기 어렵다.

○ F은 그 당시 '신탁등기 말소' 계획에 대해서 다음과 같이 설명하기도 했다.
-1차적으로 공탁을 걸어서 소유권이전을 하는 것을 1순위로 할 것이다.
-(공탁을 신청하면 해지가 언제 풀리는지 아는지 묻자) 최근에 공탁을 건 것이 있었는데 빠르면 1주일 정도 걸리고, 상대방이 이의신청하면 최대 한달정도 걸린다. (원고가 다시 묻자 정정해서) 1주일에서 2주일 정도 걸린다.
이와 같이 피고 F은 2021. 12. 23.에도 '공탁'을 통해 피고 C로 소유권이전등기가 가능한 것으로 설명하고 있었다.

○ 원고는 전세금담보대출을 받으면서 은행에 신탁말소 및 소유권이전 접수증을 제출해야 하는 상황에 있었고, 피고 F과의 접촉과정에서 신탁등기 말소가 늦어져서 자신이 부담하게 된 이자액에 대해서 임대인 측이 보전해야 하는 것은 아닌지, 아파트 상태가 사람이 산 흔적이 있는지 문제를 제기하는 등 신탁등기가 말소되지 않을 가능성에 대하여는 예측하지 못한 것으로 보인다.

이에 따르면 피고 E, F이 공인중개사법이 정한 사항에 관하여 제대로 설명하지 않은 고의·과실로 원고에게 손해를 가한 사실을 인정할 수 있다. 피고 E, F은 원고에게 이로 인한 원고의 손해를 배상할 책임 있고, 피고 협회는 공제계약에 따라 위 돈을 지급할 의무가 있다.

다. 책임의 제한
○ 피고 F, E의 책임을 30%로 제한
-원고가 신탁등기 말소 여부에 관하여 제대로 확인하지 않은 채 잔금 전부를 지급하여 손해가 확대된 측면이 있음

라. 소결론

피고 F, E, 협회는 피고 D, C와 공동하여 89,100,000원 및 이에 대하여 피고 F, E은 이 사건 소장부본 송달일 다음날인 2022. 12. 14.부터, 피고 협회는 소장부본이 송달된 다음날부터 60일이 경과한 2023. 1. 30.부터 이 판결 선고일인 2023. 9. 20.까지는 연 5%, 그 다음날부터 다 갚는 날까지는 연 12%의 각 비율로 계산한 지연손해금을 지급할 의무가 있다.

또한, 대법원에서는 위와 유사한 사례에서 중개사의 법적 책임이 있다는 취지의 동일한 판결을 내려 이러한 최근들어 성행하고 있는 이른바 '신탁등기 말소해주겠다 사기'와 관련한 중개사의 법적 책임과 관련한 논쟁에 종지부를 찍는 판결을 내린 바도 있다.

判 例

대법원 2023. 8. 31. 선고 2023다224327 판결

[1] 부동산중개업자와 중개의뢰인의 법률관계는 민법상의 위임관계와 유사하므로 중개의뢰를 받은 중개업자는 선량한 관리자의 주의로 중개대상물의 권리관계 등을 조사·확인하여 중개의뢰인에게 설명할 의무가 있다. 또한 공인중개사법 제25조 제1항 제1호, 같은 법 시행령 제21조 제1항 제2호에 의하면, 공인중개사는 중개를 의뢰받은 경우 중개가 완성되기 전에 해당 중개대상물의 상태·입지 및 권리관계 등을 확인하여 이를 해당 중개대상물에 관한 권리를 취득하고자 하는 중개의뢰인에게 성실·정확하게 설명하고, 설명의 근거자료를 제시하여야 한다. 공인중개사법 제29조 제1항

에서는 공인중개사가 전문직업인으로서 신의와 성실로써 공정하게 중개 관련 업무를 수행할 의무를 규정하면서, 제30조 제1항에서 고의 또는 과실로 인하여 거래당사자에게 재산상의 손해를 발생하게 한 때에는 그 손해를 배상할 책임이 있음을 규정하고 있다.

이와 같은 각 법령의 규정 내용, 특히 부동산중개 전문가로서의 공인중개사의 역할, 부동산중개업을 건전하게 육성하여 국민경제에 이바지함을 목적으로 하는 공인중개사법의 입법 목적 등에 비추어, 신탁관계가 설정된 부동산에 관하여 임대차계약을 중개하는 공인중개사로서는 선량한 관리자의 주의와 신의성실로써 신탁관계에 관한 조사·확인을 거쳐, 중개의뢰인에게 신탁원부를 제시하고, 신탁관계 설정사실 및 그 법적인 의미와 효과, 즉 대상 부동산의 소유자가 수탁자이고, 임대인 소유 아닌 부동산에 관하여 임대차계약이 체결되는 것이며, 수탁자의 사전승낙이나 사후승인이 없다면 수탁자에게 임대차계약으로 대항할 수 없다는 점 등을 성실하고 정확하게 설명하여야 할 의무가 있다.

[2] 갑이 공인중개사인 을의 중개로 병 주식회사와 부동산 임대차계약을 체결하는 과정에서 을이 위 부동산이 정 주식회사에 신탁된 부동산임을 설명하였고, 이에 특약사항으로 임대인이 임차인의 잔금 지급과 동시에 신탁사항 및 소유권 이외의 권리사항을 말소하기로 정하였는데, 잔금 지급 후에도 병 회사가 신탁등기 말소의무를 이행하지 아니하자 갑이 임대차계약을 해지하였으나 병 회사는 임대차보증금 일부만 반환하였고, 이에 갑이 을 등을 상대로 공인중개사법 제30조 제1항 등에 따른 손해배상을 구한 사안에서, 을이 신탁관계에 관한 조사·확인을 거쳐 갑에게 신탁원부를 제시하거나 부동산 소유자가 병 회사가 아닌 정 회사로서 그의 사전승낙이나 사후승인이 없다면 임차권으로 대항할 수 없다는 설명 등을 함으로써 그

법적인 의미와 효과를 성실하고 정확하게 설명하였다고 볼 자료가 없고, 특히 임차인에게는 임대차관계 종료 시에 임대차보증금을 반환받는 것이 매우 큰 관심사이자 그 반환을 받지 못할 위험 유무가 계약 체결 여부를 결정하는 중요한 요소이므로, 을이 부동산의 권리관계에 관하여 성실하고 정확하게 설명하였다면 갑이 병 회사와 임대차계약을 체결하지 않았거나 신탁등기를 말소받기도 전에 미리 임대차보증금을 지급하지 않았을 가능성이 크므로, 을에게는 선관주의의무나 공인중개사로서의 주의의무를 다하지 않은 과실이 있고, 그로 인하여 거래당사자에게 재산상의 손해를 발생하게 한 때에 해당한다고 볼 여지가 있으며, 갑이 신탁등기 말소 없이 임대차보증금을 먼저 지급하였더라도 그로 인하여 을의 과실과 임대차보증금을 반환받지 못한 갑의 손해 사이에 상당인과관계가 단절된다고 할 수 없는데도, 이와 달리 본 원심판단에 법리오해 등의 잘못이 있다고 한 사례.

이처럼, 받은 보증금으로 임대인이 신탁등기를 말소하겠다는 특약사항을 기재하였다 하더라도, 임대인이 이를 이행하지 않는다면 임차인이 피해를 받는 것은 동일하므로, 임차인으로서는 이러한 전세계약을 되도록 하지 않는 것을 추천드리고, 불가피하게 이러한 계약을 한다면 금융기관과 신탁사에 직접 연락하여 임차인이 금융기관에 직접 변제를 한다면 신탁등기가 말소될 수 있는지 등을 확인하여 직접 금융기관에 변제를 하여 말소를 받아 대항력을 확보하실 것을 권해드린다.

2-3. 근저당권부 대출금 변제 위반사기

실제사례

가. 원고는 2021. 2. 18. 피고 ***이 운영하는 ****부동산공인중개사사무소의 중개보조원인 피고 %%%로부터 피고 $$$ 소유의 부산 부산진구 전포동 -----호(이하 '이 사건 부동산'이라 한다)를 소개 받고, 피고 %%%의 중개로 피고 ///의 대리인인 피고 &&&와 사이에, 원고가 피고 $$$으로부터 이 사건 부동산을 임대차보증금 7,500만 원, 임대차기간 2021. 3. 12.부터 2023. 3. 11.까지로 정하여 임차하기로 하는 임대차계약(이하 '이 사건 임대차계약'이라 한다)을 체결하였다.

나. 이 사건 임대차계약 당시 이 사건 부동산에는 근저당권자 부산시수산업협동조합의 채권최고액 4,800만 원의 2016. 6. 3.자 근저당권(이하 '이 사건 근저당권'이라 한다)의 설정등기가 마쳐져 있었다.

다. 이 사건 임대차계약서 및 중개대상물확인서에는 선순위 근저당권인 이 사건 근저당권이 설정되어 있음이 기재되어 있고, 이 사건 임대차계약서 특약사항 제7항에는 **"임대인은 잔금과 동시에 근저당 말소처리 하는 조건의 계약이다. 미이행 시 본 계약은 무효가 되며, 임대인은 임차인에게 계약금 전액을 반환하기로 한다."**라는 내용이 기재되어 있다.

라. 원고는 2021. 2. 15.부터 2021. 3. 12.까지 피고 $$$의 계좌로 임대차보증금을 모두 지급하였으나, 피고 $$$, &&&는 이 사건 근저당권설정등기를 말소하지 않았다.

마. 선순위 근저당권자 부산시수산업협동조합의 임의경매신청으로 이 사

건 부동산에 관하여 부산지방법원 2022타경51+++호로 부동산임의경매절차(이하 '이 사건 경매절차'라 한다)가 개시되었다.

바. 원고는 2022. 9. 15. 피고 $$$에게게 이 사건 임대차계약을 해지한다는 내용의 임대차계약해지 통보서를, 피고 %%%에게 피고 $$$이 이 사건 근저당권설정등기를 말소하지 않아 이 사건 경매절차가 개시되었다는 취지의 중개사고 통보서를 각 내용증명우편으로 발송하였다.

사. 원고는 2023. 2. 10. 이 사건 부동산에서 퇴거하였고, 2023. 3. 21. 이 사건 경매절차의 배당기일에 3순위 배당권자인 임차권자로서 4,366,654원을 배당받았다.

아. 피고 &&&는 '원고로부터 이 사건 임대차계약에 따른 임대차보증금을 지급받더라도 이 사건 근저당권을 말소할 의사나 능력이 없음에도 원고에게 임대차보증금을 지급하면 이 사건 부동산에 설정되어 있는 근저당권을 말소하겠다는 취지로 거짓말하여 원고를 기망하여 7,500만 원을 피고 A의 계좌로 송금받았다'는 사기죄의 공소사실로 기소되어 부산지방법원 2023고단3+++호로 형사재판이 진행 중이다.

위 사례는 은행에 대출을 받아 근저당권설정등기가 되어 있는 물건에 임차인이 계약 후 입주하였는데 임대인이 받은 보증금으로 대출금을 변제하여 근저당권설정등기를 말소하여 주기로 하였으나 근저당등기가 말소되지 않았고 계약 만료 후 보증금을 반환받지 못하였던 사례로, 저자가 직접 임차인의 대리를 맡아 중개사를 상대로 손해배상 소송을 수행한 사례이다.

위 사례에서는 임대인이 사기죄로 구속기소되어 재판 진행중이나, 임대인이 재산이 없어 돈을 반환받기 어려운 상황으로, 왜 이러한 사기피해를 당하게 되는지 아래에서 살펴본다.

위 사안은 앞서 설명드린 신탁등기 말소해주겠다 사기와 유사한 사례로, 예전부터 존재하여 왔던 사기 중의 하나로서 근저당권 설정이 되어 있는 임대목적물에 대해 보증금을 받아 그 돈으로 근저당권설정등기를 말소하여 주겠다고 약속하였으면서도 이를 말소하지 않아 근저당권을 설정한 금융기관에 대하여는 대항력, 우선변제권을 주장할 수 없어 손해를 입게 되는 경우이다.

결국 보증금을 반환받기 위해서는 임대인을 상대로 소송을 하는 수 밖에 없는데, 임대인이 저런 상황에서 재산이 없을 가능성은 위 사례와 같이 매우 높다. 임대인이 구속을 당하였음에도 돈이 나오고 있지 않지 않은가.

이러한 피해를 일부라도 보전받는 방법은 결국 공인중개사를 상대로 하여 중개과실을 이유로 한 손해배상을 청구하는 방법이 그나마 현실적인 대안일 수 밖에 없는데, 이 또한 피해액 전액을 보전받기는 어려운 것이 현실이고, 심지어 이러한 물건을 중개한 공인중개사가 다수의 사고를 치는 경우도 있어 안타까운 사례들이 더해지고 있다.

아래 판결사례는 저자가 직접 피해를 입으신 임차인을 대리하여 소송에서 일부 승소한 판결사례로, 아래에서 판결 전문을 소개한다.

判 例

부산지방법원 2024. 1. 30. 선고 2023가단31****

2. 피고 A, B에 대한 청구에 관한 판단

1) 피고 B는 원고로부터 임대차보증금을 지급받더라도 이 사건 근저당권을 말소할 의사와 능력이 없었음에도 원고를 기망하여 원고로 하여금 피고 B의 아들인 피고 A 소유의 이 사건 부동산에 관하여 임대차계약을 체결하도록 하여 원고로부터 임대차임대차보증금을 지급받아 이를 편취하였고, 피고 A은 이 사건 부동산의 소유자로서 모친인 피고 B가 원고와 이 사건 임대차계약을 체결할 수 있도록 자신의 통장과 도장을 모두 맡겨 자신의 계좌로 임대차보증금을 지급받는 등 피고 B의 기망행위를 용이하도록 하였으므로, 피고 A, B는 공동불법행위자로서 공동하여 원고에게 불법행위에 기한 손해배상금으로 원고가 배당받지 못한 임대차보증금 상당액을 배상할 책임이 있다(피고 A에 대하여 불법행위책임을 인정하는 이상 임대차보증금반환 주장에 대하여는 나아가 판단하지 않는다).

따라서 피고 A, B는 공동하여 원고에게 이 사건 임대차보증금 7,500만 원 중 원고가 이 사건 경매절차에서 배당받지 못한 70,633,346원(= 7,500만 원 - 4,366,654원) 및 이에 대하여 피고 B가 원고로부터 임대차보증금을 지급받아 편취한 불법행위일인 2021. 3. 12.부터 피고 A은 이 사건 소장 부본 송달일인 2023. 4. 21.까지, 피고 B는 이 사건 소장 부본 송달일인 2023. 5. 19.까지는 각 민법이 정한 연 5%의, 각 그 다음 날부터 다 갚는 날까지는 소송촉진 등에 관한 특례법이 정한 연 12%의 각 비율로 계산한 지연손해금을 지급할 의무가 있다.

3. 피고 C, D에 대한 청구에 관한 판단

가. 손해배상책임의 발생

1) 공인중개사법 제2조 제1호는 "'중개'라 함은 제3조에 따른 중개대상물에 대하여 거래당사자간의 매매 · 교환 · 임대차 그 밖의 권리의 득실변경에 관한 행위를 알선하는 것을 말한다."라고 규정하고, 제30조 제1항은 "개업공인중개사는 중개행위를 하는 경우 고의 또는 과실로 인하여 거래당사자에게 재산상의 손해를 발생하게 한 때에는 그 손해를 배상할 책임이 있다."라고 규정하고 있다. 여기서 어떠한 행위가 중개행위에 해당하는지 여부는 거래당사자의 보호에 목적을 둔 법 규정의 취지에 비추어 볼 때 공인중개사가 진정으로 거래당사자를 위하여 거래를 알선·중개하려는 의사를 갖고 있었느냐고 하는 공인중개사의 주관적 의사를 기준으로 판단할 것이 아니라 공인중개사의 행위를 객관적으로 보아 사회통념상 거래의 알선·중개를 위한 행위라고 인정되는지 아닌지에 따라 판단하여야 한다. 따라서 임대차계약을 알선한 공인중개사가 계약 체결 후에도 보증금의 지급, 목적물의 인도 등과 같은 거래당사자의 계약상 의무의 실현에 관여함으로써 계약상 의무가 원만하게 이행되도록 주선할

것이 예정되어 있는 때에는 그러한 공인중개사의 행위는 객관적으로 보아 사회통념상 거래의 알선·중개를 위한 행위로서 중개행위의 범주에 포함된다(대법원 2007. 2. 8. 선고 2005다55008 판결, 대법원 2013. 6. 27. 선고 2012다102940 판결 등 참조).

2) 앞서 본 증거들 및 앞서 본 사실관계에 비추어 알 수 있는 다음과 같은 사정들, 즉

① 피고 A이 이 사건 부동산을 취득한 매매가액은 6,000만 원이고 이 사건 근저당권의 채권최고액은 4,800만 원이며 이 사건 임대차보증금은 7,500만 원이므로, 선순위 근저당권이 말소되지 않는다면 임차인인 원고로서는 임대차보증금을 회수하지 못하게 될 가능성이 상당히 높은 점,

② 특약사항에 잔금과 동시에 근저당권을 말소하기로 정하였다 하더라도, 이는 임대인이 임차인으로부터 임대차보증금 잔금을 받아 이를 이용하여 근저당권 말소 절차를 진행한다는 의미로서 사실상 잔금지급의무가 선이행될 수밖에 없고, 공인중개사인 피고 C과 중개보조원인 피고 D는 선순위 근저당권이 말소되지 않을 경우 원고가 임대차보증금을 보호받지 못할 것이라는 점을 충분히 알 수 있었던 것으로 보이는 점,

③ 그럼에도 피고 C, D는 이 사건 부동산에 선순위 근저당권이 설정되어 있다는 점 외에 임대인이 이 사건 근저당권 말소의무를 이행하지 않을 경우 임대차보증금을 회수하지 못할 위험성에 대하여 원고에게 충분하고 구체적인 설명을 하지 않았던 것으로 보이는 점(피고 C, D, 피고 협회는 이에 대하여 충분한 설명을 하였다고 주장하나, 이를 인정할 만한 별다른 증거가 없다),

④ 또한 이 사건 임대차계약 특약사항 제7항에 의하면 임대인이 임차인으로부터 잔금을 지급받음과 동시에 이 사건 근저당권을 말소하지 않을 경우 임대차계약 자체가 무효가 되므로, 임대인의 이 사건 근저당권 말소의무 이행 여부는 이 사건 임대차계약의 효력 유무에 영향을 미치는 중요한 사항이고, 피고 C, D

로서는 이 사건 근저당권 말소의무 이행 여부에 따라 자신들이 중개한 임대차 계약 자체가 소급적으로 소멸하게 될 수도 있었던 상황인 점,

⑤ 그러므로 피고 C, D로서는 이에 대한 대비책으로 이 사건 특약사항 제7항이 제대로 이행되었는지 여부를 확인하거나, 원고로 하여금 잔금을 지급할 때 공인중개사법 제31조에 따라 임대차보증금 잔금을 공인중개사에게 예치하도록 권고하거나 적어도 잔금 지급 예정임을 자신에게 알리도록 하고, 임대인 측 사정으로 **선순위 근저당권설정등기의 말소가 어렵다면 잔금 지급기일을 연기하더라도 위 말소등기의 이행과 동시에 잔금을 지급하도록 하는 등 원고에게 임대차보증금의 보호를 위한 여러 법적 조치 내지 위험 대비책 등을 적극적으로 조언하거나 강구하지 않은 점,**

⑥ 결국 피고 A, B가 원고로부터 잔금을 지급받고도 이 사건 근저당권을 말소하지 아니하였고, 원고는 이 사건 경매절차에서 임대차보증금을 회수하지 못하는 손해를 입게 된 점 등에 비추어 보면, 이 사건 임대차계약 체결을 중개함에 있어 피고 C, D는 고의 또는 과실로 인하여 거래당사자에게 재산상 손해를 발생하게 하였다고 봄이 타당하므로, 피고 C, D는 피고 A, B와 공동하여 원고가 입은 손해를 배상할 책임이 있다.

나. 손해배상책임의 제한

1) 다만 부동산 거래당사자가 중개업자에게 부동산거래의 중개를 위임한 경우, 중개업자는 위임취지에 따라 중개대상물의 권리관계를 조사확인할 의무가 있고 그 주의의무를 위반할 경우 그로 인한 손해를 배상할 책임을 부담하게 되지만, 그로써 중개를 위임한 거래당사자 본인이 본래 부담하는 거래관계에 대한 조사확인 책임이 중개업자에게 전적으로 귀속되고 거래당사자는 그 책임에서 벗어난다고 볼 것은 아니다. 따라서 중개업자가 부동산거래를 중개함에 있어 위와 같은 주의의무를 다하지 못함으로써 중개의뢰인에게 발생한 손해에 대한 배상의 범위를 정함에 있어 중개의뢰인에게 거래관계를 조사확인

할 책임을 게을리 한 부주의가 인정되고 그것이 손해 발생 및 확대의 원인이 되었다면, 피해자인 중개의뢰인에게 과실이 있는 것으로 보아 과실상계를 할 수 있다고 보아야 하고, 이것이 손해의 공평부담이라는 손해배상제도의 기본원리에 비추어 볼 때에도 타당하다(대법원 2012. 11. 29. 선고 2012다69654 판결 등 참조).

2) 앞서 본 사실관계에 비추어 알 수 있는 다음과 같은 사정들, 즉 원고는 이 사건 임대차계약 체결당시 선순위 근저당권이 설정된 사실을 알고 있었으므로, 이로 인한 법률관계, 원고가 입을 수 있는 불이익에 관하여 피고 C 또는 피고 D에게 상세한 설명을 요구함은 물론 이에 관하여 스스로도 조사, 확인할 책임이 있음에도 이를 제대로 하지 아니한 점, 특히 원고는 자신의 임대차보증금의 잔금 지급과 임대인의 이 사건 근저당권설정등기의 말소를 동시에 이행하기로 특약사항에 명시하였음에도, 잔금 지급 당시 임대인이나 공인중개사에게 이 사건 근저당권설정등기의 말소에 필요한 준비를 완료하였는지 여부나 그 말소를 담보할 수 있는 별다른 조치를 취하지 않은 채 만연히 임대차보증금 잔금 전액을 지급한 점 등을 고려하면, 이러한 원고의 과실 은 원고가 입은 손해의 발생 또는 확대의 한 원인이 되었다고 봄이 타당하다. 그러므로 피고 C, D의 손해액을 정함에 있어 이를 참작하기로 하되, 앞서 본 여러 사정들을 고려하여 피고 C, D의 책임을 30%로 제한한다.

이처럼, 받은 보증금으로 임대인이 근저당권설정등기를 말소하겠다는 특약사항을 기재하였다 하더라도, 임대인이 이를 이행하지 않는다면 임차인이 피해를 받게 되고 위와 같은 특약만으로 임차인이 보호되는 것은 아니므로, 임차인으로서는 이러한 전세계약을 되도록 하지 않는 것을 추천드리고, 불가

피하게 이러한 계약을 한다면 금융기관에 직접 연락하여 임차인이 금융기관에 직접 변제를 한다면 근저당권설정등기가 말소될 수 있는지 등을 확인하여 직접 금융기관에 변제를 하여 말소를 받아 대항력을 확보하실 것을 권해드린다.

2-4. 월세·전세 이중계약 소유권자 사칭 전세사기

실제사례

가. 당사자들의 관계

(1) 피고 B는 공인중개사로서 2017. 4. 22.경 D, E 등으로부터 월 60만 원을 받기로 하고 D〈각주1〉에게 자신의 공인중개사자격증, 중개사무소등록증을 대여한 사람이다. D, E은 피고 B로부터 공인중개사자격증을 대여받아 2017. 5. 10.경부터 2018. 2. 20.까지 사이에 부산 동구 F, G호에서 'H중개사무소'(이하 '이 사건 중개사무소'라 한다)를 운영한 사람들이다.

(2) 피고 C협회(이하 '피고 협회'라 한다)는 피고 B와 사이에 공제기간 2017. 4. 20.부터 2018. 4. 19.까지로 하여 피고 B가 부동산중개행위를 함에 있어서 고의 또는 과실로 인하여 거래당사자에게 재산상의 손해를 발생하게 한 경우 이를 1억 원내에서 보상하기로 하는 공제계약(이하 '이 사건 공제계약')을 체결하였다.

나. 전세계약의 체결

(1) 원고는 2017. 11. 20. 이 사건 중개사무소 직원이라고 소개하는 D의

중개 하에 L 소유의 부산 부산진구 I, J호(이하 '이 사건 오피스텔'이라 한다)에 관하여 전세보증금을 7,500만 원으로 한 전세계약을 체결하고, 그 즈음 전세보증금 명목으로 7,500만 원을 지급하였다.

(2) 당시 D, K은 이 사건 중개사무소에서 원고에게, '이 사건 오피스텔에 관한 임대차계약대리인/전세보증금수령 권한을 K에게 위임하고 전세금은 7,500만 원으로 한다.'고 기재된 L의 도장이 날인된 위임장과 인감증명서, L이 K의 배우자로 기재된 가족관계증명서를 교부하였다.

(3) 그러나 이 사건 오피스텔은 K이 소유자인 L으로부터 보증금 500만 원, 월세 50만 원에 임대한 것에 불과하고, 배우자가 L으로 기재된 K의 가족관계증명서는 E이 K의 가족관계증명서에 배우자란을 만들어 배우자란에 L의 인적사항을 기재하여 위조한 것이며, L 명의의 인감증명서는 역시 K 명의의 인감증명서를 이용하여 위조한 것으로, K은 L으로부터 이 사건 오피스텔의 전세계약에 관한 어떠한 위임도 받은 바가 없었다.

다. 관련 형사사건

(1) 피고 B가 D 등에게 공인중개사자격증을 대여하고, D, E 등은 대여받은 공인중기사자격증 등을 이용하여 앞서 본 원고와 전세계약을 체결한 것과 같은 방법으로 총 14명의 피해자들과 전세계약을 체결하여 전세보증금 합계 8억 4,000만 원을 교부받았다는 이유로 부산지방법원 동부지원 2018고단555호 사기 등 사건으로 각 기소되었다.

(2) 위 법원은 2018. 7. 25. D과 E에게 위에서 본 가족관계증명서 등 공문서위조 및 행사, 위임장 등 사문서위조 및 행사 기타 전자금융거래법 위반, 사기 등의 범죄사실로 각 징역 5년을, 피고 B에게 공인중개사법

위반 등의 범죄사실로 징역 6월에 집행유예 2년 및 사회봉사 120시간을 각 선고하였다.

위 사례는 월세·전세 이중계약 소유권자 사칭 전세사기의 전형적인 케이스 중의 하나로, 사기꾼이 월세계약을 체결한 뒤 월세계약을 체결하면서 받은 아파트의 점유 및 집주인의 신분증 등 각종 서류들을 이용해 위조를 하여 집주인 사칭사기를 하는 것이다.

심지어 다수의 사례는 위와 같이 사기꾼이 집주인으로부터 받은 신분증 사본을 이용하여 해당 정보를 동일하게 기재하고 사진만을 바꿔치기하여 신분증을 위조하는 수법을 써, 위조한 신분증으로 집주인의 계좌까지 개설하여 해당 계좌로 보증금을 송금하도록 고지까지 하는 경우가 있어, 계좌까지 집주인 이름으로 된 계좌에 송금하게 하니 전세사기를 당하는 임차인 입장에서는 꼼짝없이 보증금을 사기당하게 되는 상황에 있다.

결국 위 사례에서는 공인중개사를 상대로 손해배상청구를 하여 피해액의 일부를 변제하라는 판결이 내려졌는데, 왜 이러한 사기피해를 당하게 되는지 아래에서 살펴본다.

부동산 관련 많은 사기사건 유형 중 하나는 자신이 해당 부동산의 소유자 또는 대리권자라고 사칭하여 해당 부동산을 매매하거나 전세(임대차)계약을 체결한 뒤 매매대금이나 임대보증금을 편취하는 경우이다(심지어 공인중개사가 집주인을 사칭하는 사기도 있다).

특히, 부동산매매계약에 있어서는 그나마 매수인들이나 중개업자가 어느 정도의 주의를 기울이는 경우가 많아 사기꾼들 또한 쉽사리 범행을 시도하지는 않는 데 반해, 임대차계약의 경우(특히 전세계약)에는 '소유권을 이전받는 것이 아니니 이 정도로만 주의를 기울여도 괜찮겠지'라는 안일한 생각과, 단순히 '등기부 보고 전입신고와 확정일자만 잘 챙기면 된다'라는 근거 없는 자신감이 결합하여 심각한 피해를 입는 경우가 많고, 중개사, 중개보조원분들 또한 '너무 깐깐히 하다 거래가 엎어질라'라는 욕심에 신분확인을 게을리 하는 경우가 많은데, 결국 이러한 방심들이 종합적으로 작용하여 이러한 사기사고를 당하게 되는 것이다.

判例

서울고등법원 2020. 6. 19. 선고 2020노1*** 판결

이 사건 범행은, 피고인과 B가 아파트 소유자를 사칭하여 아파트를 타인에 임대하여 전세보증금을 편취하기로 공모한 후, 아파트 소유자의 주민등록증 위조를 의뢰하여 위조된 주민등록증을 입수하고 이를 이용하여 아파트 소유자 명의의 예금계좌를 무단으로 개설한 다음, B는 마치 아파트 소유자인 것처럼 행세하고 피고인은 공인중개사인 것처럼 행세하면서 아파트 임

차를 구하는 피해자로부터 전세보증금 6억 7,500만 원을 편취한 것이다. 원심은 피고인이 수사단계에서 피해자의 손해를 전액 변제하고 합의한 점, 피고인에게 집행유예를 넘는 전과가 없는 점, 그 밖에 피고인의 가담 정도, 나이, 성행 등 이 사건 기록 및 변론에 나타난 모든 양형조건을 종합하여 피고인에게 양형 기준의 하한을 벗어난 형을 선고하였다.

그런데 원심이 적법하게 채택하여 조사한 증거들에 의하면, 피고인이 2014. 8. 7. 아파트 소유자 C과 임대차계약서를 체결하자마자 피고인과 B는 곧바로 위 C의 주민등록증 위조를 의뢰하여 위조된 주민등록증을 입수하고 나아가 2014. 9. 4. 위 C 명의 예금계좌를 개설한 후 위 예금계좌로 수차례 금원을 입출금하는 등 이를 무단으로 사용하기도 한 점, 피고인과 B는 2019년에 다시 위 C의 주민등록증 위조를 의뢰하여 위조된 주민등록증을 입수한 후 마치 아파트 소유자인 것처럼 행세하거나 공인중개사인 것처럼 행세하면서 전세보증금을 편취하였고 그 편취액이 6억 7,500만 원에 달하는 점, 피고인과 B는 이 사건 이외에도 위조한 임대차계약서 등을 이용하여 금융기관으로부터 거액의 대출을 받은 것으로 재판을 받고 있는 점, 이 사건은 아파트 소유자인 C이 종합소득세를 신고하던 과정에서 자신이 개설하지 않았던 계좌가 발견됨으로써 비로소 발각된 점 등을 알 수 있는바, 이와 같이 피고인과 B는 장기간에 걸쳐 매우 치밀하고도 대담하게 이 사건 각 범행을 거듭하여 저질렀으며 그 피해액도 상당하다.

그 밖에 피고인의 연령, 성행과 환경, 범행의 동기, 수단과 결과, 범행 후의 정황 등 이 사건 변론에 나타난 양형의 조건을 모두 고려하여 보면, 원심이 양형 기준의 하한을 벗어난 형을 선고한 것을 두고 이를 너무 무거워 부당하다고 볼 수는 없다.

하지만 거래현실을 보면, 우리나라에서의 주택임대차보증금은 전세의 경우 말할 필요가 없고, 심지어 속칭 반전세나 월세의 경우에도 거액의 임대차보증금이 오가는 경우가 많아 그 피해액은 부동산 매매에 준하는 경우가 많고, 피해자 또한 다수가 발생하는 경우를 흔히 볼 수 있다.

대법원은 사기범이 신분증을 위조하였다 하더라도, 중개사는 거래상대방이 진실한 소유자인지 여부를 확인하기 위해 신분증 뿐만 아니라 등기필증(현행 등기필정보)까지 소지하고 있는지 여부를 확인할 의무가 있음을 인정하고 있다.

判 例

대법원 2012. 11. 29. 선고 2012다69654

[2] 甲이 공인중개사 乙과 丙의 중개에 따라 등기부등본상 소유자가 망인인 주택에 관하여 망인의 장남 丁의 대리인이라고 주장하는 丁의 아들 戊와 丁 명의로 임대차계약을 체결하고 임대차보증금을 지급하였다가 손해를 입자 한국공인중개사협회를 상대로 손해배상을 구한 사안에서, 乙과 丙이 중개업자에게 요구되는 조사·확인의무를 이행하지 않은 채 戊의 말만 믿고 甲에게 임대차계약을 체결하고 아무런 임대권한이 없는 戊에게 임대차보증금을 지급하도록 한 과실이 인정되므로 협회가 甲이 입은 손해를 배상할 책임이 있다고 본 원심판단 부분은 정당하나, 임대차계약 및 잔금지급 과정에서 주택 소유자가 명백하지 아니하고 戊의 대리권 유무 역시 명

확하지 아니하여 거래당사자인 甲으로서는 이를 확인할 필요가 있었는데도, 甲이 공인중개사인 乙과 丙의 말만 믿고 제적등본 등 상속관계 서류나 등기권리증 또는 위임장, 인감증명서 등 주택 소유자와 대리권 유무에 관한 확인을 소홀히 한 과실이 인정되고, 이러한 과실 역시 손해 발생 또는 확대의 원인이 되었다고 보아야 하는데도, 이러한 사정을 과실상계 사유로 전혀 참작하지 않은 원심판결에는 과실상계에 관한 법리오해의 위법이 있다고 한 사례.

이러한 월세 전세 이중계약 주인사칭사기에 대해 예방방법으로 행정안전부 주민등록증 진위확인 서비스를 이용하여 보라는 조언을 하는 경우가 있는데, 이러한 확인만으로는 부족하다.

대부분의 집주인 사칭 사기는 위 사례에서 살펴본 바와 같이 사칭사기꾼이 집주인과 임대차계약을 체결하면서 집주인의 주민등록증 사본을 확보하는 경우가 대부분인데, 이 사본을 이용하여 동일한 정보에 사진만을 바꿔치기 하여 주민등록증을 위조하면 행안부의 진위확인 전화(1382번)로는 이를 확인하는 것이 불가능하기 때문이다(중국 등지에서 위와 같은 방법으로 신분증을 위조하여 주는 경우가 흔하다).

주민등록증 진위확인 서비스

- 전화 자동응답서비스(ARS)나 인터넷으로 주민등록증의 진위 여부를 확인할 수 있음

ARS로 진위확인 절차

① 전국 어디서나 ☎1382번으로 전화
② 음성 메시지에 따라 주민등록번호 13자리와 주민등록증에 인쇄된 발급일자 8자리(예: 20150817) 입력
③ 안내 메시지 확인
- 정상 증은 '입력하신 내용은 등록된 내용과 일치합니다.' 안내
- 그 이외에는 '분실 증', '발급일자 불일치' 또는 '없는 주민등록번호' 등 안내

↑ 행정안전부 주민등록증 진위확인 서비스 소개화면

위 진위확인서비스로는 해당 주민등록증에 기재된 주민등록번호와 이름이 존재하는 것인지만을 확인할 수 있는 것일 뿐, 주민등록증에 인쇄되어 있는 사진에 대해서는 확인할 방법이 없고, 결국 집주인을 사칭하면서 주민등록증상 집주인의 인적사항은 그대로 기재한 채 사진만을 바꿔치기하여 위조하는 경우에는 위와 같은 진위확인 서비스는 무용지물이 된다.

더구나, 사칭사기꾼은 더욱 확실한 사기를 위해 위 위조된 주민등록증을 들고 가서 은행에서 집주인 명의의 계좌를 개설하여 입금계좌까지 집주인 명의의 계좌를 제시하는 경우가 많고, 송금을 하는 임차인이나 계좌를 제시받은 중개업자는 '계좌도 본인 계좌네'라고 덜컥 믿어버려 사기꾼의 마수에 걸려들게 되는 것이다.

결국 아래 판결문에서도 확인되는 바와 같이, 이러한 사기를 방지하기 위해서는 단순히 주민등록증의 진위확인으로는 부족하고, 상대적으로 위조가 곤란한 등기권리증(등기필정보) 등을 반드시 확인하고, 되도록 해당 아파트나 주택에 세금납부한 사실을 확인할 수 있는 제반 서류나 그 외 기타 집주인이 아니고서는 보유할 수 없는 제반 자료를 요청하여 확인하여 사칭사기를 당할 위험을 줄여야 할 것이다.

判例

부산지방법원 2018. 11. 20. 선고 2018가단308777 판결

가. 원고의 주장 요지

피고 B가 D 등에게 공인중개사자격증을 대여하였고, 개설된 중개사사무소에서 명의를 대여 받은 D의 기망에 의한 부동산 중개에 따라 원고가 전세보증금을 편취당하는 손해를 입었다.

즉 원고는 피고 B가 D 등과의 공모에 의하여 또는 D에 대한 명의대여행위에 의하여 위와 같은 손해를 입었으므로, 피고 B는 원고에게 민법 소정의 공동불법행위 내지는 제756조 소정의 손해배상책임(중개사사무소에서 중개보조인으로 행세한 D의 행위로 인한 손해이므로 민법 제756조 소정의 손해배상책임을 묻는 것으로 본다) 및 공인중개사법 제30조에 의한 손해배상책임을 부담하고, 피고 협회는 피고 B의 공제보험자로서 피고 B가 중개행위를 함에 있어 고의 또는 과실로 인하여 원고가 입은 손해를 배상할 책임이 있다.

따라서 피고들은 연대하여 원고에게, 원고가 지급한 보증금 7,500만 원 및 이에 대한 지연손해금을 지급할 의무가 있다.

나. 손해배상책임 및 공제금지급책임의 발생

(1) 공동불법행위에 따른 손해배상책임 인정 여부

원고가 제출한 증기만으로는 피고 B가 D 등과 공모하여 이 사건 중개를 통하여 보증금 7,500만 원을 편취하는 행위에 가담하였음을 인정하기에 부족하고, 달리 이를 인정할 증거가 없다.

(2) 명의대여 행위에 따른 손해배상책임 등의 인정 여부

(가) 관련 법리

타인에게 어떤 사업에 관하여 자기의 명의를 사용할 것을 허용한 경우에 그 사업이 내부관계에 있어서는 타인의 사업이고 명의자의 고용인이 아니라 하더라도 외부에 대한 관계에 있어서는 그 사업이 명의자의 사업이고 또 그 타인은 명의자의 종업원임을 표명한 것과 다름이 없으므로, 명의사용을 허용 받은 사람이 업무수행을 함에 있어 고의 또는 과실로 다른 사람에게 손해를 끼쳤다면 명의사용을 허용한 사람은 민법 제756조에 의하여 그 손해를 배상할 책임이 있다. 또한 명의대여관계의 경우 민법 제756조가 규정하고 있는 사용자책임의 요건으로서의 사용관계가 있느냐 여부는 실제적으로 지휘·감독을 하였느냐의 여부와 관계없이 객관적·규범적으로 보아 사용자가 그 불법행위자를 지휘·감독하여야 할 지위에 있었느냐의 여부를 기준으로 결정하여야 한다(대법원 2013. 4. 11. 선고 2011다68609 판결 등 참조).

(나) 구체적 판단

이 사건에 돌이켜 살피건대, 공인중개사인 피고 B가 자신의 공인중개사 자격과 명의를 일정한 자격과 요건을 구비하지 아니하고는 개설·경영할 수 없는 중개사무소의 대표자 명의로 사용하도록 D에게 대여하였고, 그에 따라 개설된 이 사건 중개사사무소에서 D 등이 9개월 이상 중개행위를 한 사실은 위에서 본 바와 같고, 나아가 피고, B는 공인중개사 자격증 대여나 유사명칭 사용을 금지하면서 중개보조원의 업무상 행위를 중개업자의 행위로 보는 공인중개사법의 취지에 비추어 자신의 직원으로 행세한 D이 비록 자신에게 직접 고용되었던 것은 아니라고 하더라도 D과 사이에 대외적으로는 실질적으로 사용자와 피용자의 관계와 다를 바 없으므로 피고 B는 D의 사용자로서 민법 제756조 내지 공인중개사법 제30조 제1항에 의하여 D이 업무수행 중의 불법행위(위 1.나.항 기재 행위)로 원고에게 가한 손해를 배상할 책임이 있고, 피고 협회는 피고 B와 이 사건 공제계약을 체결한 공제사업자로서 원고에게 공제가입금액의 한도 내에서 그 공제금을 지급할 의무가 있다고 할 것이다.

(3) 피고들의 주장에 관한 판단

(가) 먼저 피고들은, 이 사건 전세계약의 체결은 이 사건 오피스텔 소유자의 대리인인 것으로 행세한 K의 행위에 기한 것이고, K의 행위는 자기거래에 해당할 뿐 공인중개사법 소정의 중개행위가 아니라는 취지로 주장하나, 피고 B의 책임은 피고 B가 자신으로부터 그 명의사용을 허락받아 중개업무를 수행한 D의 실질적 사용자로서 D의 중개행위에 관하여 불법행위책임이 있다고 인정하는 것에서 비롯된 이상, K의 행위가 자기거래에 해당하는지 여부는 피고 B의 불법행위책임 및 피고 협회의 공제금지급의무 인정에 장애가 되지 아니한다 할 것이다.

(나) 다음으로 피고 협회는, 이 사건 전세계약의 체결은 D, K의 개인적인 불법행위에 불과할 뿐 중개행위가 아니라고 주장한다.

살피건대, 구 공인중개사의 업무 및 부동산 거래신고에 관한 법률 제2조 제1호는 "중개라 함은 제3조의 규정에 의한 중개대상물에 대하여 거래당사자간의 매매·교환·임대차 그 밖의 권리의 득실변경에 관한 행위를 알선하는 것을 말한다."고 규정하고 있고, 제30조 제1항은 "중개업자는 중개행위를 함에 있어서 고의 또는 과실로 인하여 거래당사자에게 재산상의 손해를 발생하게 한 때에는 그 손해를 배상할 책임이 있다."고 규정하고 있는바, 여기서 어떠한 행위가 중개행위에 해당하는지 여부는 거래 당사자의 보호에 목적을 둔 법 규정의 취지에 비추어 볼 때 중개업자가 진정으로 거래당사자를 위하여 거래를 알선·중개하려는 의사를 갖고 있었느냐고 하는 중개업자의 주관적 의사를 기준으로 판단할 것이 아니라 중개업자의 행위를 객관적으로 보아 사회통념상 거래의 알선·중개를 위한 행위라고 인정되는지 여부에 의하여 결정할 것이다(대법원 2013. 3. 28. 선고 2011다74338 판결 등 참조). 이 사건에 돌이켜, D이 원고에게 이 사건 오피스텔의 전세계약을 알선한 행위는 그 일련의 과정 전체로 보아 객관적으로 사회통념상 공인중개사법 제2조 제1호에서 정한 중개행위라고 봄이 상당하다고 할 것이어서, 이 부분 피고 협회의 주장 또한 이유 없다.

(다) 마지막으로 피고 협회는, D, K의 행위는 공제약관상 중개업자의 금지행위에 해당하므로 면책약관이 적용되어야 한다고 주장한다.

살피건대, 이 사건의 경우 피고 B는 앞서 본 바와 같이 '다른 사람에게 자기의 성명 또는 상호를 사용하여 중개 업무를 하게 하거나, 자기의 중개사무소 등록증을 양도 또는 대여하는 행위를 하여서는 아니 된다'는 규정을 위반하여 처벌을 받은 것으로, 비록 D의 행위에 대하여 피고 B가 공인중개사로서 중개업무 수행상의 과실로 인하여 원고에게 사용자책임을 부담하기는 하나, 나아가 피고 B가 D의 편취행위 등 불법행위를 알고 그에 가담하였다거나 또한 그러한 상황에 편승하여 중개업무 수행과정에서 거짓된 언행 등으로 중개의뢰인인 원고의 판단을 그르치게 하는 등의 행위를 하였다고 볼 만한 증거가 없는 이상 명의대여 사실만으로는 공제약관 제7조 제5호에서 정하는 '금지행위'를 하였다고 볼 수는 없으므로, 이 부분 피고 협회의 주장 또한 이유 없다.

다. 손해배상 및 공제금지급의무의 범위

피고 B에 관하여는 직권으로, 피고 협회에 관하여는 과실상계 항변에 따라 살핀다.

중개보조원이 업무상 행위로 거래당사자인 피해자에게 고의로 불법행위를 저지른 경우라 하더라도, 그 중개보조원을 고용하였을 뿐 이러한 불법행위에 가담하지 아니한 중개업자에게 책임을 묻고 있는 피해자에게 과실이 있다면, 법원은 과실상계의 법리에 좇아 손해배상의 책임 및 그 금액을 정함에 있어 이를 참작하여야 한다(대법원 2018. 2. 13. 선고 2015다242429 판결 등 참조).

이 사건에 돌이켜 살피건대, 앞서 든 증거들에 의하여 인정되는 다음과 같은 사정, 즉 원고로서는 D이 중개한 이 사건 전세계약을 체결할 당시 대리인이라고 주장하는 K에게 L을 대리할 권한이 있는지 여부에 관하여 보다 적극적으로 확인할 방법(소유자인 L의 계좌로 보증금을 송금하는 방법 등)이 있었음에도 그러한 조치를 다하지 못한 과실이 있는 것으로 보이는 점 등이 원고의 손해 발생 및 확대에 영향을 주었다고 할 것이다. 한편 피고 B가 D 등으로부터 공인중개사 자격증을 대여하면서 매월 60만 원을 대여료로 지급받아 온 점, D 등이 피고 B 명의로 개설된 이 사건 중개사사무소에서 9개월 이상 피고 B 명의로 중개행위를 하여 왔음에도 별다른 감독을 하지 아니한 점 등의 원고의 과실에 D 등이 공문서 및 사문서 등을 위조하는 방법으로 원고를 적극적으로 기망한 점, 원고로서는 K이 L의 대리인이라고 주장하여 L이라고 사칭하는 자와 통화까지 한 점 등을 함께 참작하여 보면, 피고 B가 원고에게 부담하는 손해배상책임 및 피고 협회가 부담할 공제금의 범위는 손해액의 80%로 제한함이 상당하다.

만약 이러한 사기를 이미 당하였다면, 위 판결과 같이 공인중개사를 상대로 손해배상소송을 진행하거나, 상황에 따라서는 집주인을 상대로 표현대리를 이유로 한 보증금반환소송을 제기하는 것을 검토해 볼 필요가 있다.

2-5. 다가구주택 전세사기

실제사례

가. ① 원고는 2006. 4. 24. 피고 B으로부터 피고 B 소유의 대구 동구 E 지상 4층 상가 및 다세대주택(4가구) 건물의 3층(이하 '이 사건 건물'이라고 한다) 중 F호 부분(이하 '이 사건 F호'라고 한다)을, 임대차보증금 3,500만 원, 임대차기간 2006. 5. 30.부터 2008. 5. 29.까지 2년간으로 정하여 임차하였다(이하 '이 사건 임대차계약'이라고 한다).

② 원고는, 그 무렵 피고 B 또는 그 대리인에게 위 임대차보증금 3,500만 원을 지급하고, 이 사건 F호에 입주한 후인 2006. 5. 29.경 이 사건 F호

로 전입신고를 마쳤으며, 같은 날 이 사건 임대차계약서에 확정일자를 받았다.

나. ① G(당시 외부적으로 사용하던 이름은 H, 2011. 12. 1.경 사망)는, 2006년 초경부터 공인중개사인 피고 C가 대구 동구 I에서 운영하던 J공인중개사 사무소에서 중개보조원으로 정식으로 등록되지는 아니한 채 사실상 피고 C의 중개보조업무를 보조하여 오다가, 피고 C가 위 사무소를 같은 구 K으로 옮긴 후인 2007. 7.경부터는 위 사무소의 중개보조원으로 정식으로 등록되어 위 사무소에서 2009. 12.경까지 근무하였던 사람인바, 피고 C 명의로 이 사건 임대차계약서를 작성한 것을 비롯하여 이 사건 임대차계약과 관련한 일체의 중개업무를 수행하였다.

② 이 사건 임대차계약 체결 당시 이 사건 건물에 관하여는 채권최고액 합계 3억 3,800만 원(= 6,500만 원×4개 + 3,900만 원×2개)의 근저당권들이 이미 설정되어 있었다(최선순위 근저당권설정등기일 1996. 10. 16.).

③ G는 이 사건 임대차계약 중개 당시 원고에게, 이 사건 건물에 대한 중개대상물확인·설명서를 작성·교부하지 않았고, 이 사건 건물에 위와 같은 근저당권들이 이미 설정되어 있는 사실 및 이 사건 건물에 거주하던 임차인들의 보증금 액수, 전입신고일자, 확정일자 등에 관한 사항을 원고에게 정확하게 고지하지 아니하였다.

다. 그 후 이 사건 건물에 대하여 개시된 경매절차(대구지방법원 L)에서, 이 사건 건물의 매각대금(3억 8,300만 원)에서 집행비용을 공제한 돈 중, 이 사건 건물의 나머지 임차인 3명에게 소액임차인으로서 1순위로 각

1,200만 원씩을, 당해세 교부권자인 대구 동구에 2순위로 7,464,570원을 각 배당하고, 나머지 돈은 모두 위 경매를 신청한 최선순위 근저당권자인 M조합에게 배당하는 내용의 배당표가 작성·확정되었는바, 그 후순위 임차인으로서 대항력을 주장할 수 없는 원고는, 소액임차인에도 해당하지 아니하여 배당을 전혀 받지 못하였고, 피고 B으로부터도 임대차보증금을 전혀 반환받지 못하였다.

라. 한편, 피고 D협회(이하 '피고 협회'라고만 한다)는 중개업자의 중개행위로 인한 손해배상책임을 보장하기 위하여 설립된 공제사업자로서, 피고 C와 공제금액 5,000만 원, 공제기간 2005. 5. 7.부터 2006. 5. 6.까지로 정하여 공제계약을 체결하였다.

위 사례는 다가구주택 전세사기의 전형적인 케이스 중의 하나로, 주택 전체가 하나의 물건으로 취급되어 경매가 되어 배당이 될지 여부가 불투명한 상황이었음에도 이를 알지 못하고 임대차계약을 체결하여 피해를 보는 경우이다.

결국 위 사례에서는 공인중개사를 상대로 손해배상청구를 하여 피해액의 일부를 지급하라는 판결이 내려졌는데, 왜 이러한 피해를 당하게 되는지 아래에서 살펴본다.

다가구 주택의 경우 다른 기존 임차인의 임대차계약 내역(보증금, 임대차계약 기간)등에 대한 정보가 중요하다.

다가구주택은 다세대주택과 달리 그 주택 전체가 하나의 물건으로 취급되고(구분등기가 되어있지 않다), 경매시 각 임차인 간의 배당순위는 인도·전입신고(대항력) 및 확정일자를 갖춘 시점을 기준으로 결정될 수 밖에 없게 된다.

그렇다면, 새로 임대차계약을 체결하는 임차인으로서는 다른 기존 임차인의 존부 및 보증금 액수 등 선순위 임대차계약의 계약내용에 따라 자신의 보증금을 지킬 수 있을지 여부가 결정된다는 점에서 계약체결에 중요한 요소로 작용하게 되는 부분인 것이다.

하지만 많은 임차인들이 등기부만 확인할 뿐 위와 같은 선순위 임대차계약을 한 세입자의 정보에 대하여는 제대로 확인을 하지 않고, 이를 노린 사기꾼은 여러 다가구주택에 임대차계약을 체결하고 보증금을 수령한 뒤 나몰라라 하는 것이다.

이러한 다가구주택과 관련하여 계약 전 별 다른 확인방법이 없어 임차인은 물론 중개사도 이를 쉽게 파악하기 어려웠다. 과거에는 기존 임차인의 계약내용에 대하여는 집주인에게 물어보거나, 일일이 각 임차인들에게 이를 확인하하는 방법밖에 없었는데, 이를 제대로 확인하기는 거의 불가능하다.

다만, 이미 임대차계약을 체결하였다면 임차인은 신분증과 계약서를 지참하여 행정복지센터(동사무소)에 방문하여 해당 다가구주택 건물의 확정일자 부여현황을 열람하는 것은 가능해졌다. 이를 확인하여 보면 기존 이미 다가구주택에 임차한 임차인들의 확정일자, 보증금, 월차임이 기재되어 있으므로 선순위자의 보증금액수가 얼마인지를 확인할 필요가 있고, 전입세대 열람내역도 추가로 확인한 뒤 나머지 전세금을 지급하는 등의 방법으로 위험을 최소화할 필요가 있다.

判 例

대구지방법원 2014. 6. 5. 선고 2013나19142 판결

가. 손해배상책임의 발생

(1) 피고 ●●●의 책임 여부

이 사건 임대차계약에 대한 중개업무를 수행한 사람이 ◆◆◆임은 앞서 본 바와 같으나, 공인중개사의 업무 및 부동산 거래신고에 관한 법률(이하 "공인중개업법"이라고만 한다) 제15조 제2항은 중개보조원의 업무상 행위도 중개업자의 행위로 보도록 규정하고 있으므로, ① ◆◆◆가 피고 ●●●가 고용한 중개보조원이고, ② ◆◆◆가 한 위 중개업무가 그 업무상 행위에 해당한다면, 피고 ●●●로서는 ◆◆◆의 위 중개행위로 인한 책임을 면할 수 없다고 할 것이다.

살피건대, ① 고용관계가 존재하였는지 여부는 실질적으로 판단하여야 하고, 그 판단에 있어서는 부동산중개업을 건전하게 지도·육성하고 공정하고 투명한 부동산거래 질서를 확립하려는 공인중개업법의 목적·취지를 충분히 고려하여야 할 것인바, 앞서 본 바와 같이 원고는 피고 ●●●가 운영하는 현대공인중개사 사무실을 방문하였다가 ◆◆◆를 통하여 이 사건 임대차계약을 체결하게 된 점, ◆◆◆가 당시 정식으로 등록된 중개보조원은 아니었으나, 위 사무소에서 근무하고 있었고 원고에게 이 사건 건물을 소개하는 중개업무를 실제로 수행한 점, ◆◆◆가 피고 ●●●의 인장을 소지하고 있으면서 피고 ●●●를 중개업자로 기재한 이 사건 임대차계약서를 작성한 점 등에 비추어 보면, ◆◆◆는 이 사건 임대차계약 당시 피고 ●●●에 의해 현대공인중개사 사무실의 중개보조원으로 고용된 상태에 있었다고 봄이 상당하고, ② 이러한 중개보조원인 ◆◆◆가 한 이 사건 임대차계약에 관한 중개행위는 공인중개업법에서 말하는 업무상 행위에 당연히 포함된다고 할 것이므로, 결국 피고 ●●●는 ◆◆◆의 위 중개행위에 관한 책임을 부담한다고 할 것이다(중개사무소와 중개업자를 기재한 임대차계약서가 작성된 이상 이 사건 임대차계약에 관한 중개행위가 통상적인 중개행위와 다르다고 할 수는 없으므로, 위 중개행위가 중개행위로서의 외관을 갖추지 못하였다는 피고들의 주장은 받아들이지 않는다).

(2) 확인·설명의무 위반

공인중개업법 및 같은 법 시행령은 중개업자는 중개를 의뢰받은 경우 중개가 완성되기 전에 중개대상물의 권리관계에 관한 사항 외에 거래예정가격까지 조사하여 그 내용을 당해 중개대상물에 관한 권리를 취득하고자 하는 중개의뢰인에게 성실·정확하게 설명하고, 토지대장·등기부등본 등 설명의 근거자료를 제시하여야 한다고 규정하고 있다(같은 법 제25조 제1항 제1호, 시행령 제21조 제1항 제3호).

즉, 중개업자는 다가구주택 일부에 관한 임대차계약을 중개하면서 임차의뢰인이 임대차계약이 종료된 후에 임대차보증금을 제대로 반환받을 수 있는지 판단하는 데 필요한 다가구주택의 권리관계 등에 관한 자료를 제공하여야 하므로, 임차의뢰인에게 부동산 등기부상에 표시된 중개대상물의 권리관계 등을 확인·설명하여야 할 뿐만 아니라, 더 나아가 임대의뢰인에게 다가구주택 내에 이미 거주해서 살고 있는 다른 임차인의 임대차계약내역 중 개인정보에 관한 부분을 제외하고 임대차보증금, 임대차의 시기와 종기 등에 관한 부분의 자료를 요구하여 이를 확인한 다음 임차의뢰인에게 설명하고 자료를 제시하여야 하며, 공인중개사의 업무 및 부동산 거래신고에 관한 법률 시행규칙 에서 정한 서식에 따른 중개대상물 확인·설명서의 중개목적물에 대한 '실제 권리관계 또는 공시되지 아니한 물건의 권리사항'란에 그 내용을 기재하여 교부하여야 할 의무가 있고, 만일 임대의뢰인이 다른 세입자의 임대차보증금, 임대차의 시기와 종기 등에 관한 자료요구에 불응한 경우에는 그 내용을 중개대상물 확인·설명서에 기재하여야 할 의무가 있다. 중개업자가 고의나 과실로 위와 같은 의무를 위반하여 임차의뢰인에게 재산상의 손해를 발생하게 한 때에는, 중개업자는 공인중개업법 제30조에 따라 이를 배상할 책임이 있다(대법원 2012. 1. 26. 선고 2011다63857 판결 등 참조).

위 법리에 비추어 이 사건을 보건대, 이 사건 임대차계약 당시 이미 이 사건 건물에 채권최고액 합계가 3억 3,800만 원에 이르는 근저당권이 설정되어 있었고, 나아가 상가와 총 4세대의 다가구주택이 복합된 형태인 이 사건 건물의 특성을 고려하면, 이 사건 건물의 선순위 임차인의 수 및 그 임대차보증금의 액수에 따라 소액임차인에 해당하지 않는〈각주1〉 원고로서는 이 사건 건물에 대한 경매가 진행될 경우 그 경매절차에서 대항력을 행사하지 못하고 임대차보증금 역시 배당받지 못할 위험이 상당히 높은 상태에 있었다고 할 것이다.

그럼에도 불구하고 ◆◆◆는 위 중개행위를 하면서 원고에게 중개대상물 확인·설명서를 작성·교부하지 않았을 뿐 아니라, 위 근저당권 및 다른 임차인들에 대한 사항을 정확하게 고지하지도 않았는바, 이는 중개업자로서의 확인·설명의무를 위반한 것이고, ◆◆◆의 위 중개행위를 피고 ●●●의 중개행위로 보아야 하는 이상 피고 ●●●는 위 의무위반으로 인한 손해배상책임을 면할 수 없다.

(3) 소결
따라서 피고 ●●● 및 피고 ●●●와 공제계약을 체결한 피고 협회는 임대인인 △△△과 연대하여 ◆◆◆의 위 행위로 인하여 원고가 입은 손해를 배상할 의무가 있다.

나. 손해배상의 범위
◆◆◆의 중개상 잘못으로 원고는 임대차보증금을 반환받지 못할 가능성이 상당한 상태임을 알지 못하고 별다른 대책 없이 이 사건 임대차계약을 그대로 체결하게 되었고, 이로 인하여 그 후 이 사건 건물에 관하여 진행된 경매절차에서 대항력을 행사하지 못하고 임대차보증금 역시 배당받지 못하여 결국 임차보증금 3,500만 원 전액을 회수하지 못하게 되었는바, 사실상 회수가 불가능한 상태로 남게 된 위 3,500만 원을 원고가 입은 손해로 봄이 상당하다.

2-6. 월세권한을 위임받은 중개업자가 전세계약을 체결하여 보증금을 횡령하는 전세사기

실제사례

가. 원고 조@@은 별지(1) 목록 제1항 기재 건물(이하 '이 사건 제1 건물'이라 함)을,원고 조영재은 별지(1) 목록 제2항 기재 건물(이하 '이 사건 제2 건물'이라 함)을, 원고나@@은 별지(1) 목록 제3항 기재 건물(이하 '이 사건 제3 건물'이라 함)을 각 소유하고 있다.

나. 원고들은 원룸주택인 이 사건 각 건물을 임대하기 위하여 2001년 초경부터 영신부동산을 운영하는 유영재에게 그 관리를 맡겨왔는데, 예비적 피고 신@@는 2002년 3월경부터 위 영신부동산에서 일을 하게 되면서 원고들의 이 사건 각 건물에 관한 임대차계약의 체결 및 보증금, 임대료의 송금 등의 주요 관리업무를 맡아 하였다.

다. 그 후 예비적 피고 신@@는 2002년 12월경 영신주택관리사무소를 직접 차리고,2003년 1월경부터 원고들의 이 사건 각 건물에 대한 관리업무를 위임받아 처리하였는데, 별지(2) 전세계약 표 기재와 같은 각 날짜에 원고들을 대리하여 피고들과의 사이에위 표 기재 각 목적물에 관하여 위 표각 해당란 기재와 같은 각 전세기간과 전세금의약정을 하여 각 전세계약(이하 '이 사건 각 전세계약'이라 함)을 체결하였고, 한편 이사건 각 전세계약의 체결 당시 위 표 중개업자란 기재와 같은 중개사사무소의 중개사가 각 계약의 체결에 관한 중개를 하였다

위 사례는 공인중개사 등 중개관련업에 종사하는 자가 전세사기행위를 하

는 전형적인 케이스 중의 하나로, 월세계약의 권한을 받았을 뿐임에도 전세계약을 체결한 뒤 중개업자가 보증금을 꿀꺽하여 피해를 보는 경우이다.

결국 위와 같은 사례에서는 명의대여가 발생한 경우에는 공인중개사를 상대로 손해배상청구를 하거나 집주인을 상대로 표현대리를 이유로 한 보증금반환소송을 하는 경우가 대부분이다.

위 사안은 공인중개사무소의 중개보조원이었던 자가 원룸건물을 관리하고 있던 점을 이용하여 월세계약체결권한이 있을 뿐임에도 전세계약을 체결하여 전세금을 사취한 전형적인 사례이다.

이러한 경우, 중개업자에게 건물관리 등을 위임한 임대인이나 임차인 모두가 피해를 입게 된다. 따라서, 임대인의 경우 중개업자에게 인감증명서나 도장을 맡기는 일, 권한 일체를 위임하는 백지위임장의 작성 등은 절대 피하여야 하며, 되도록 건물관리 일체를 맡기기 보다는 본인이 행할 수 있는 범위 내에서는 직접 임차인과 연락을 취하는 것이 좋다.

또한, 임차인은 위임받은 중개업자가 전세계약과 관련하여 구체적인 위임을 받았는지, 건물주와 직접 통화하여 그 통화한 사람이 실제 건물주가 맞는지(이렇게 중개업자에게 건물주의 전화번호를 요구하는 경우 중개업자가 공범의 전화번호를 알려주는 경우가 많으므로, 건물주가 아니면 알 수 없는 사실을 물어 실제 건물주인지 확인할 필요도 있다), 날인하는 도장이 위임인의 인감도장이거나 적어도 사용인감인지를 인감증명서를 통해 확인할 필요가 있다.

2-7. 건물 관리 일체를 맡은 위탁회사가 전세계약을 체결하고 보증금을 받은 뒤 폐업하는 전세사기

실제사례

가. 피고는 2016. 1. 29. 천안시 서북구 C건물 D호(이하 '이 사건 부동산'이라 한다)를 매수하고, 2016. 2. 19. 이 사건 부동산에 관하여 소유권 이전등기를 마쳤다.

나. 피고는 2016. 2. 18. 주식회사 E와 사이에, 다음과 같은 내용이 포함된 영업위탁계약(이하 '이 사건 영업위탁계약'이라 한다)을 체결하고, 주식회사 E에 '위임자인 피고가 수임자인 주식회사 E에 이 사건 부동산의 임대 관련 업무, 임대보증기간 동안의 임대료 지급, 임대보증금 수금 및 관리, 임차인 물색 및 선정, 임대차 계약 관리(계약서 작성) 등 임대 관련 사항 일체와 세대점검 및 방문과 관련된 권한을 위임한다'는 내용의 위임장(이하 '이 사건 위임장'이라 한다)에 피고의 인감도장을 날인한 후 피고 본인이 발급받은 인감증명서를 첨부하여 교부하였다.

본 목적물의 영업위탁사업자 주식회사 E(이하 갑)와 본 목적물의 건물 및 토지의 지분 소유권자 (이하 을) 당사자간에 다음과 같이 영업위탁계약을 체결한다.

제1조[목적]

1. 을은 갑에게 이 사건 부동산에 대하여 주식회사 E로 영업(이하 본 위탁영업)함을 위탁한다.

2. 위탁영업이란 을이 분양받은 물건에 대하여 임대관련 업무, 임대보증기간 동안의 임대료 지급, 임대보증금 수금 및 관리, 임차인 물색 및 선정, 임대홍보, 임대차계약 관리(계약서 작성), 기타 등 을을 위해 행하는 임대관련 업무 일체를 말한다.

제2조[명의]

본 위탁영업은 을의 명의로써 이를 행사한다.

제6조[관리비용]

2. 계약기간 중 중개수수료는 갑이 지불한다.

제8조[위탁영업의 폐지 및 대행금지]

갑은 을과 사전 협의 없이 본 위탁영업을 계약기간 중에는 폐지 또는 휴지하는 것은 물론 제3자에게도 절대 대행시킬 수 없다.

제11조[위탁료 및 수익금]

2. 을의 수익금은 갑이 매월 을이 지정하는 계좌에 별도로 정한 기일마다 입금함을 원칙으로 한다.

제14조[청소용역대행]

을의 권한을 위임받아 갑이 선정하여 사용한다.

- 갑은 을에게 위탁금에 대한 보장금으로 보증금 10,000,000원에 매월 750,000원을 각 호실당 지급하는 것으로 한다.
- 갑이 임차인과 임대차계약시 위 보장금과 금액이 상이할 수 있다.

다. 주식회사 E의 대표이사인 F은 2017. 6. 19.경 'G'라는 상호로 부동산임대관리업을 목적으로 하는 개인사업자등록을 마쳤다. 주식회사 E는 2018. 2. 14. 주주총회 결의로 해산하고, 2018. 2. 21. 해산등기를 마치고, 같은 날 그 대표이사이던 F이 청산인으로 등기되었다.

라. 원고는 2018. 11. 1. 피고의 대리인으로 현명한 'G' F과 사이에, 원고가 피고로부터 이 사건 부동산을 임대차보증금 50,000,000원, 임대차기간 2018. 11. 6.부터 2019. 11. 5.까지로 정하여 임차하는 임대차계약(이하 '이 사건 임대차계약'이라 한다)을 체결하였다. 이 사건 임대차계약서의 임대인란에는 피고의 인적사항이, 임차인란에는 원고의 인적사항이 각 기재되어 있고, "임대대리인"의 "성명"란에는 "G"라고 기재되어 있다.

마. 원고는 이 사건 임대차계약서에 보증금 입금계좌로 기재된 계좌로 2018. 11. 1. 2,500,000원, 2018. 11. 2. 2,500,000원, 2018. 11. 6. 45,000,000원을 합계 50,000,000원을 송금하였다.

그러나, 위 위탁회사는 폐업하였고, 현재 임차인인 원고에게 보증금을 지급하지 않고 있다.

위 사례는 최근 이른바 '더X하우스'라는 회사 사태로 인해 언론에 유명세를 탄 전세사기 수법 중의 하나로, 위와 같은 위탁계약에 따라 집주인에게 수익을 제공하고 자신들이 건물을 관리한다는 명목으로 전세계약을 체결하여 위탁회사가 보증금을 받은 뒤 위탁회사가 보증금을 꿀꺽하고 폐업하여 돈을 돌려주지 않아 피해를 보는 경우이다.

> 결국 위와 같은 사례에서는 집주인과 임차인 모두 피해를 입게 되는데, 임차인은 집주인을 상대로 표현대리 등을 근거로 들어 보증금반환소송을 하는 경우가 대부분이다.

위 사안은 집주인에게 건물을 관리해주겠다고 하고 계약을 체결한 뒤 이러한 계약에서 나온 위임권한을 이용하여 전세계약을 체결하여 전세금을 사취하는 전형적인 사례이다.

이러한 경우, 위탁회사에게 건물관리 등을 위임한 건물주나 임차인 모두가 피해를 입게 된다. 따라서, 이러한 위탁계약을 하는 건물주의 경우 인감증명서나 도장을 맡기는 일, 권한 일체를 위임하는 백지위임장의 작성 등은 절대 피하여야 하며, 해당 계약에 전세보증금을 수령하는 권한이 없음을 분명히 밝히고 직접 건물주가 보증금을 수령할 수 있도록 계약을 하여야 하며, 요즘 이러한 사기행위가 반복되고 있는 만큼 되도록 건물관리 일체를 맡기는 것은 자제하는 것이 좋다.

임차인 또한 이러한 위탁회사가 임대인인 경우 계약서와 위임장, 인감증명서 등을 모두 파악하여 이러한 임대권한, 보증금수령권한이 있는지 여부를 확인하여야 하고, 집주인의 연락처가 확인가능하다면 이러한 권한을 실제 부여하였는지를 확인할 필요가 있다.

그리고, 이미 계약을 체결하여 사기를 당한 상황이라면, 아래와 같이 집주인을 상대로 소송을 통해 보증금을 반환받는 것을 고민하여 볼 필요가 있다.

判例

대전지방법원 천안지원 2020. 1. 22. 선고 2019가단1*** 판결**

가. F의 대리권 존부

피고와 F 개인 사이에 체결된 영업위탁계약서, 피고가 F 개인에게 교부한 위임장 등과 같은 피고가 F에게 이 사건 부동산에 관한 임대차계약을 체결할 대리권을 수여하였는지 여부를 확인할 수 있는 문서는 존재하지 않는다.

그러나 수권행위는 불요식행위로서 반드시 서면에 의하여 이루어져야 하는 것이 아니고, 위임장 교부 등과 같은 명시적 의사표시뿐만 아니라 묵시적 의사표시에 의하여도 할 수 있다. 앞에서 인정한 사실과 을 제2호증의 기재에 비추어 알 수 있는 다음과 같은 사정들을 종합하여 볼 때, 피고는 F이 'G'라는 상호로 피고를 대리하여 이 사건 부동산에 관한 임대 관련된 일체의 업무를 수행하고 있음을 알면서도 이의를 하지 않고 묵인함으로써 F이 'G'라는 상호로 피고를 대리하여 이 사건 부동산을 임대할 수 있는 대리권을 수여하였다고 봄이 상당하다.

1) 이 사건 영업위탁계약의 전체적인 내용을 종합하여 보면, 피고는 주식회사 E로 하여금 피고를 대리하여 이 사건 부동산의 임대 관련 일체의 업무를 수행하고 피고에게 매월 고정적인 수익금을 지급하도록 함으로써 피고가 스스로 임차인 물색 업무, 중개수수료 지급 업무, 이 사건 부동산의 청소, 수리 등과 같은 관리업무 등을 처리하여야 하는 수고로움과 번잡스러움에서 벗어나고, 이 사건 부동산이 공실이 되어 임대수익을 얻지 못할 위험을 피할 수 있게 되었다. 즉 피고는 임대 관련 사무를 처리하여야 하는 부담을 면하고, 이 사건 부동산에서 고정적인 월세 수입이 발생하는지 여부와 무관하게 매월 고정적인 수익금을 얻을 수 있는 것에 대한 대가로 주식회사 E로 하여금 피고에게 지급하는 수익금과 다른 내용으로 임대차계약을 체결 · 관리할 수 있도록 권한을 부여하였다고 볼 수 있다.

2) 주식회사 E의 대표이사인 F은 주식회사 E의 명의로 이 사건 영업위탁계약에 기하여 이 사건 부동산의 임차인을 물색, 선정하여 임대차계약을 체결하고, 이 사건 부동산의 유지, 관리 업무를 수행하여 오면서 2016. 4. 19.부터 2017. 12. 30.까지 피고의 계좌로 이 사건 영업위탁계약상 위탁대상 목적물인 이 사건 부동산과 C건물 I호에 대한 수익금으로 합계 1,400,000원을 매월 송금하여 오다가 2018. 1월경부터는 주식회사 E와 동일한 상호인 'G'를 상호로 하여 마쳐 두었던 개인사업자등록번호를 사용하여 주식회사 E가 이 사건 영업위탁계약에 기하여 수행하여 오던 이 사건 부동산의 임대 관련 일체의 업무를 동일하게 수행하면서 피고에게 동일한 수익금을 지급하여 온 것으로 보인다.

3) F이 2018. 1월부터는 개인사업자등록을 마친 'G' 상호로 이 사건 영업위탁계약에 기한 위탁 업무를 수행하였기 때문에 2018. 1월부터는 F이

'G' 개인사업자명의로 개설한 계좌에서 피고의 계좌로 월 수익금이 송금되었고, 이에 따라 피고의 계좌에 매월 입금되는 수익금을 송금한 주체가 2017. 12월까지는 "(주)E"로, 2018. 1월부터는 "F(G)"로 표시되었다. 이 사건 영업위탁계약 제8조에 주식회사 E는 피고와 사전 협의 없이 위탁 영업을 제3자에게 대행시킬 수 없다고 정하여져 있고, 나아가 제11조 제2호에 월 수익금은 "주식회사 E"가 피고에게 지급하여야 한다고 정하여져 있으므로, 피고는 2018. 1월부터 "주식회사 E"가 아닌 "F(G)"가 월 수익금을 지급하는 경우 주식회사 E 또는 F에게 이의를 제기할 수 있었을 것인데, 위와 같이 "F(G)"로부터 입금을 받으면서 아무런 이의를 제기한 바 없다. 피고가 주식회사 E에 이 사건 부동산에 대한 임대, 관리 업무에 관한 대리권을 수여한 이유가 앞서 본 바와 같이 임대 관련 업무 처리 부담에서 벗어나고 매월 고정적인 수익금을 지급받는데 있었으므로, 피고로서는 주식회사 E에 대리권을 수여한 목적을 달성할 수 있다면 주식회사 E의 대표이사인 F이 같은 상호로 운영하는 개인사업체로서 같은 내용의 대리권을 행사하더라도 이를 용인한다는 묵시적인 의사가 있었기 때문에 송금자가 "F(G)"로 변경되었음에도 아무런 이의를 제기하지 않은 것으로 보인다.

나. 이 사건 임대차계약 종료 및 효과

F이 피고를 대리하여 이 사건 부동산을 임대할 대리권이 있었으므로, 피고의 대리인임을 현명한 'G' F과 원고 사이에 체결된 이 사건 임대차계약은 원고와 피고 사이에서 유효하게 성립하였다. 이 사건 임대차계약의 임대차기간은 2019. 11. 5.까지이므로, 이 사건 임대차계약은 기간이 만료되어 종료되었다. 따라서 피고는 원고에게 임대차보증금 50,000,000원을 반환할 의무가 있다.

한편 앞에서 든 증거에 의하면, 원고가 이 사건 임대차계약상 보증금을 송금한 계좌가 피고가 주식회사 E에 교부한 이 사건 위임장에 보증금 및 월세 입금계좌로 기재된 계좌와 다른 사실을 인정할 수 있기는 하나, 원고는 이 사건 임대차계약서에 보증금 및 월세 입금계좌로 기재된 계좌로 보증금을 송금한 것이고, F이 이 사건 부동산을 임대할 대리권이 있는 상태에서 이 사건 임대차계약서에 보증금 및 월세 입금계좌를 기재하였으므로, 원고는 이 사건 임대차계약상 정하여진 대로 보증금을 지급한 것으로 보아야 한다. 따라서 원고가 보증금을 지급하였다고 볼 수 없다는 피고의 주장은 받아들일 수 있다.

그리고 갑 제1호증의 기재에 의하면, 이 사건 임대차계약의 특약사항 제13항에 “보증금 반환에 대한 책임은 G에서 책임지기로 한다”는 조항이 있는 사실을 인정할 수 있으나, 앞에서 든 각 증거들에 변론 전체의 취지를 종합하여 알 수 있는 다음과 같은 사정 즉, ① 이 사건 임대차계약 제8조에 “임대보증금은 이 계약이 끝나거나 해제 또는 해지되어 원고가 피고에게 주택을 명도함과 동시에 반환한다”고 정하여져 있을 뿐 “이 사건 임대차계약 종료시 피고는 보증금반환의무를 부담하지 않는다”라고 명시적으로 정하여져 있지 않은 점, ② 이 사건 임대차계약의 특약사항 제13항에 기재된 문언 자체는 ‘보증금 반환에 대한 책임은 G에서 진다’는 것이고, 그 문언 자체에 의하여 ‘G를 운영하는 F만이 보증금반환의무를 부담하고, 임대인인 피고는 보증금반환의무를 부담하지 않는다’는 점이 명확히 드러나지 않는 점, ③ 이 사건 임대차계약의 특약사항 제2항에 “기타 사항은 민법, 임대차보호법 및 부동산임대차 계약 일반 관례에 따르기로 한다”라고 정하여져 있고, 주택임대차보호법에는 임대차계약의 종료시 보증금반환의무는 임대인이 부담하는 것을 전제로 임차인의 보증금 회수와 관련된 조항이 마련되어 있으며, 통상의 부동산임대차거래는 임대인이 보증금반환의무를 부담하는 것을 전제로 이루어지므로, 원고가 일반적인 거래 관행과 달리 임대인인 피고의 보증금반환의무를 면하게 하여 줄 의사가 있었다면 보다 명확히 그 취지가 드러나는 문언을 사용하여 특약 조항을 두었을 것으로 봄이 경험칙에 부합하는 점 등에 비추어 볼 때, 이 사건 임대차계약의 특약사항 제13항의 기재만으로 F이 피고의 보증금반환책무를 면책적으로 인수하고, 원고가 이를 승낙하였다고 추인하기에 부족하고, 달리 이를 인정할 증거가 없다. 따라서 위 특약사항을 근거로 피고의 보증금반환채무는 면책되었다는 피고의 주장 역시 받아들일 수 없다.

2-8. 이른바 빌라 동시진행 전세사기

실제사례

가. 공모관계

2020년경부터 부동산 전세가격이 빠르게 상승하는 상황에서, 아파트 등 선호 형태의 주택을 향후 분양받고자 그 자격을 유지하려는 신혼부부나 사회초년생 등은 비교적 저렴한 빌라 등 다세대주택(이하 '빌라 등')을 전세가격이 더 오르기 전에 부동산 업체 등만 믿고 빨리 임차하려는 반면, 그동안 가격이 오르지 않았던 빌라 등 소유자들 및 신축 빌라의 건축주들은 빌라 등을 임대하는 대신 높은 가격이 형성되었을 때 매도하고자 함에 따라, 빌라 등에 대한 임차 수요가 매수 수요보다 큰 상황이 생겼고, 그로 인해 일부 빌라 등은 임대차보증금과 매매가격의 차이가 없어져 임대차보증금반환채무만 인수하면 별도의 자기자본 없이 빌라 등을 매수할 수 있는 이른바 '무자본 갭투자'가 가능하게 되었다.

그런데 이와 같은 무자본 갭투자는 자기자본이 필요 없어 향후 채무불이행 가능성이 있는 사람(이하 '신용저평가자')도 가능한 방식이므로, 신용저평가자들은 당장 일부 대가만 받는다면 임대차보증금반환채무 변제자력을 고려하지 않은 채 무자본 갭투자에 나서려 하였고, 피고인들은 위와 같은 사정을 이용하여 빌라 등 소유자들이 원하는 매매가격에 피고인들 몫의 리베이트를 더하여 임대차보증금을 부풀린 다음, 임대차보증금이 향후 정상적으로 반환될 것처럼 행세하여 임차인들로 하여금 임대차계약을 체결하도록 하고 임대차보증금 중 위 리베이트를 제외한 금액을 소유자들에게 지급하며, 그 직후 소유자들이 신용저평가자들에게 무자본 갭투자 방식으로 빌라 등을 매도하도록 하는 이른바 '동시진행 방법'을 통하여 위 리베이트를 챙기기로 마음을 먹었다.

이에 따라 피고인 A, 피고인 B은 2020. 12.경 서울 동대문구 F 오피스텔 건물 G호에서 'H' 업체를 설립하고 신용저평가자들을 모집하여 확보한 매매계약 필요 서류 등을 직접 또는 I을 통해 아래 피고인 C 운영의 컨설팅 조직에게 전달하고 그 대가로 빌라 1채 등기당 약 100만 원 이상을 받는 조직(이하 '명의모집 조직')을 운영하는 역할을, 피고인 C은 2020. 5.경 서울 은평구 J빌딩 건물 K호에서 'L' 업체를 설립하고 M, N 등 위 업체 직원들을 통해 명의모집 조직으로부터 전달받은 신용저평가자들 명의서류를 다른 컨설팅 조직에게 대가를 받고 판매하거나 직접 빌라 등을 구해 위 서류를 이용하여 동시진행 방법으로 리베이트를 챙기는 조직(이하 '컨설팅 조직')을 운영하는 역할을, 피고인 D는 2020년경부터 서울 관악구 O에서 'P부동산컨설팅'이라는 컨설팅 조직을 운영하며 빌라 등을 구해 피고인 C 운영의 컨설팅 조직으로부터 전달받은 신용저평가자 명의서류를 이용하여 동시진행 방법으로 리베이트를 챙기는 역할을, 피고인 E는 2019년경부터 경기 부천시 Q R호에서 'S'라는 컨설팅 조직을 운영하며 같은 방법으로 리베이트를 챙기는 역할을 하기로 순차 공모하였다.

그러나 위와 같은 동시진행 방법에 의한 임대차보증금은 빌라 등 소유자들이 원하는 매도 시가에 피고인들 몫의 리베이트를 더하는 방식으로 산정된 것이어서 그러한 보증금을 내용으로 한 전세계약은 시가보다 임대차보증금이 큰 이른바 '깡통전세'가 될 수밖에 없었고, 이와 같이 임대차계약 목적물의 시가보다 임대차보증금이 클 경우 목적물의 물적 담보가치만으로는 임대차보증금반환채무가 이행되지 않으므로 임차인은 목적물 임대인의 자력에 임대차보증금반환채무의 이행을 기대할 수밖에 없는데, 위와 같은 동시진행 방법으로 빌라 등을 매수한 신용저평가자들은 알지도 못하는 부동산을 매수하고자 자기 명의 서류를 피고인들에게 제공한 사람들이었을 뿐이었으므로 피고인들은 위 목적물을 매수한 새로운 임대인인 신용저평가자들에게 위 채무의 이행 능력 또는 의사가 없는 사정을 알고 있었다.

그럼에도 피고인들은 전세계약의 경우 그 임차인들이 계약 이후 2년이 지나서야 임대차보증금반환채무의 이행을 요구하는 데다가 주택도시보증공사의 보증보험으로 보증금을 받는 경우 임대인에게 위 채무의 이행을 요구하지 않는 사정, 신축 빌라 등은 외관상 이유로 임차가 비교적 선호되지만 시세는 잘 확인되지 않아 임대차보증금이 피고인들 몫의 리베이트로 인해 부풀려진 것을 임차인들이 모르는 사정 등을 이용하여 리베이트를 챙기기로 마음먹은 것이었다.

나. 구체적 범죄사실

위와 같은 순차 공모에 따라 피고인 A은 2021. 3.경 명의모집 조직 소속 T를 통해 신용저평가자 U에게 '400만 원을 줄테니 U 명의로 전세를 끼고 빌라를 구입할 수 있도록 필요한 서류를 달라'는 취지로 말하여 U로부터 인감증명서 등 매매계약 필요 서류를 받은 후 이를 명의모집 조직 소속 피고인 B, I을 통해 피고인 C 운영의 컨설팅 조직 소속 M에게 전달하였고, M는 2021. 6.경 부동산 중개 어플리케이션 'V'에 위 U를 투자자로 표현하며 광고를 게시하였으며, W 공인중개사무소 소속 중개보조원 X는 그 무렵 서울 서대문구 Y 건물 Z호 소유자 AA의 남편 AB으로부터 위 빌라를 매도하게 해달라는 요청을 받았으나 매도가 어렵자 M가 게시한 광고 취지에 맞추어 임차인인 피해자 AC과 사이에 임대차계약을 먼저 체결하고 그 직후 U와 사이에 매매계약을 체결하기로 AB과 논의하는 한편, 이에 따라 M는 AB에게 위 빌라에 관한 동시진행방법을 제안하고 X를 통해 2021. 5. 24.경 피해자에게 매수인이 바로 바뀐다는 사정이나 매수인의 변제자력은 모른다는 사정은 설명하지 아니한 채 마치 임대차계약 기간 종료 후 위 보증금이 정상적으로 반환될 수 있을 것처럼 행세하여 피해자로 하여금 AA과 사이에 위 빌라에 관하여 임대차보증금을 350,000,000원으로 한 임대차 계약을 체결하게 하였다.

그러나 사실 위 임대차보증금 350,000,000원은 AA이 사실상 매도금원으로 수취하는 금액에 명의모집 조직 및 컨설팅 조직 몫의 리베이트 9,700,000원을 더하여 산정된 금액이어서 위 빌라는 임대차보증금이 시가보다 높아 깡통전세가 될 수밖에 없었을 뿐만 아니라, AA이 2021. 6. 23.경 U에게 위 빌라를 매도하는 내용으로 매매계약이 체결되고 피해자가 2021. 7. 20.경 AA에게 임대차보증금 전액을 송금한 직후인 같은 달 21.경 위 매매계약에 따라 U 명의의 소유권이전등기가 경료됨에 따라 새로운 소유자이자 임대인으로 예정된 U는 신용저평가자로서 위 채무를 이행할 의사나 능력이 없는 상황이었으므로, 물적 담보가치로서나 U의 일반재산으로나 임대차보증금반환채무 이행 가능성이 낮은 상황이었고, 주택도시보증공사가 제공하는 보증보험제도 약관상 피해자가 항상 임대차기간 만료 즉시 위 보험으로 보증금을 지급받을 수 있는 것도 아니었다.

그럼에도 피고인 A, 피고인 B, 피고인 C 등은 리베이트 명목의 9,700,000원을 챙길 목적으로 위와 같이 피해자를 기망하여 이에 속은 피해자로 하여금 2021. 5. 24.경부터 2021. 7. 20.경까지 AA 명의 신한은행 계좌(계좌번호 1 생략)로 임대차보증금 명목의 350,000,000원을 송금하도록 하였다.

이와 같이 피고인 A 및 피고인 B의 명의모집 조직, 피고인 C의 컨설팅 조직 등이 순차 공모로 피해자를 기망하여 350,000,000원을 교부받은 것을 비롯하여, 피고인들은 위와 같은 방법으로 2021. 2. 26.경부터 2021. 7. 20.경까지 별지 범죄일람표 기재와 같이 피해자들을 기망함으로써 피고인 A 및 피고인 B은 총 4회에 걸쳐 합계 1,383,000,000원을, 피고인 C은 총 11회에 걸쳐 합계 3,430,000,000원을, 피고인 D는 총 3회에 걸쳐 합계 997,000,000원을, 피고인 E는 총 6회에 걸쳐 합계 1,788,000,000원을 각 송금받아 편취하였다.

위 사례는 최근 가장 많이 언론에 유명세를 타고 있는 이른바 '동시진행' 전세사기 수법으로, 해당 사기사례를 자세히 설명하고 있는 판결문을 골라 해당 사실관계 부분을 위와 같이 담았다.

결국 위와 같은 사례에서는 빌라의 시세를 제대로 확인하지 않는 이상 피해를 피할 방법이 없는데, 현실적으로 아파트처럼 KB시세가 나오는 것도 아닌 상황에서 이를 파악하는 것이 쉬운 것이 아닌 점이 큰 문제이다.

위 판결문 사안에서는 동시진행 전세사기 수법에 대해 매우 자세히 설명하고 있는데, 이를 결국 단순화하면 건물주는 불법 브로커를 동원하여 빌라나 오피스텔의 시세를 뻥튀기해서 전세계약을 빌라 매매시세보다 높게 계약한 뒤, 소유권을 바지사장에게 넘기고 빠져나가고, 나중에 바지사장이 임대차계약기간이 만료되면 터뜨리는 수법으로, 전세계약과 매매가 동시에 진행된다고 해서 동시진행사기로 불린다. 최근에는 네이버웹툰 '비질란테'에서도 이러한 동시진행사기를 크게 다룬 바 있다.

이러한 '바지'(요즘 기자들이 말하는 빌라왕 오피스텔왕)는 주로 '오늘 하루만 살자'고 생각하는 사람이나 노숙자 등으로, 이러한 사람들을 섭외하여 집을 떠넘기고 이렇게 집의 소유권을 받은 '바지'는 당연히 전세금을 반환할 능력이 되지 않기 때문에, 임차인으로서는 살고 있는 집을 경매를 넘길 수 밖에 없다.

문제는 앞서 말씀드린 대로 시세가 전세보증금보다 애초부터 더 낮은 시세였는데, 경매까지 넘어가게 되면 더 낮은 가액으로 낙찰될 수 밖에 없어 임차인에게 피해가 발생할 수 밖에 없는 구조이고, 특히 대부분의 임차인들은 등기를 보고 선순위 근저당권이나 신탁등기 등의 이상이 없다고 생각하고 들어온 상태에서 사기를 당하게 되기 때문에 더욱 큰 피해가 양산되고 있는 실정이다.

결국, 이러한 사기를 당하지 않으려면 앞서 저자가 말씀드린 대로 '집주인에게 돈을 빌려준다'는 마인드로 접근하면 '담보물건이 얼마짜리일까'에 대해 좀 더 열심히 보게 될 것인데, 이러한 전세계약 또한 마찬가지로 '이 집의 가치는 얼마이고, 잘못되면 경매를 해서 얼마가 나올 수 있을까'를 미리 생각하고 계약을 체결하여야 하는 것이다.

그런데, 사기꾼들은 이러한 점까지 고려하여 불법 브로커뿐 아니라 주변의 부동산 중개업자들을 포섭하여 고액의 수수료를 지급하겠다고 한 뒤, 해당 빌라나 오피스텔의 시세를 높게 이야기하고 다니라고 하는 등 공범이나 다름없는 행위를 하도록 유도하는 경우가 있는가 하면, 동시진행 과정에서 실거래가까지 부풀려 놓는 등 철저한 준비까지 하고 있어 사회문제가 되고 있다.

결국 이러한 사고를 당하지 않으려면 여러 부동산 업체를 방문하여야 할 뿐 아니라 해당 건물의 위치나 연식, 내부 구조 등 부분을 고려하여 시세를 가늠해보아야 할 수 밖에 없는데, 이러한 어려운 사정으로 인해 빌라나 오피스텔의 전세물건이 최근 외면을 받고 있는 실정이다.

判例

부산지방법원 2023. 7. 11. 선고 2023고단2*** 판결

일반적인 임대차 관계에서 통상적으로 임차인에게 발생할 수 있는 위험(예를 들면 임대인의 신용상태 악화, 부동산 소유권 변동으로 인한 임대인 변경, 선순위 담보권 등의 존재, 부동산 시가 하락 등)에 대해서는 원칙적으로 임대차계약 체결 시 임대인이나 중개인이 이를 임차인에게 고지할 의무가 있다고 볼 수 없고, 그러한 위험에서 임차인을 보호하기 위하여 마련된 제도들이 있으므로 임차인이 이를 이용하여 위험에 대비하면 된다. 그러나 이러한 논리는 어디까지나 위와 같은 위험 발생 여부가 자연적인 상태에 놓여있을 때에 적용되는 것이고, 이와 달리 인위적으로 임차인에 대한 위험 발생 가능성이 높은 구조로 임대차계약이 체결되는 경우에는 달리 보아야 할 것이다.
구체적으로 이 사건에 관하여 본다. 이 법원이 적법하게 채택하여 조사한 증거들에 의하면, 다음과 같은 사정들을 인정할 수 있다.

① 이 사건 매도인 겸 임대인들은, 당초 자기 소유의 빌라를 '매도'하고자 하였는데 이 사건 당시 부동산 가격이 상승하고 있었음에도 매도가 잘 이루어지지 않는 상황에 놓여 있었다. 그 상황에서 피고인 C, D, E가 운영한 부동산 컨설팅업체들 측에서 접근하여 '먼저 전세(임대차)계약을 하고 그 임대차보증금과 같은 금액으로 매매하면 매매가 잘 된다'는 등 이른바 임대차계약과 매매계약의 '동시진행' 방식을 제안하였고, 매도인이 이를 승낙하면 부동산 컨설팅업체는 'V' 어플 광고 등을 통해 임차인을 구하는 한편, 피고인 A, B 등이 모집한 매수 명의자들을 구해와서 임대차계약 및 매매계약을 동시에 진행하였다. 따라서 당초부터 매도 의사만 있었던 매도인들은 부동산 컨설팅업체들의 주도로 형식적으로만 임대차계약을 체결하였고, 함께 진행된 매매계약에 따라 임대인 지위가 매수인에게 승계될 것이므로, 자신은 임차인으로부터 임대차보증금을 교부받음으로써 그 중 리베이

트를 제외한 나머지 금액으로 매수인으로부터 받을 매매대금에 갈음한다고 생각할 뿐, 임대인으로서의 권리·의무를 자신에게 귀속시킬 의사가 없었다. 이는 '동시진행' 방식의 구조적 특성에 따른 것이므로, 피고인들도 이 사건 매도인들이 임대인으로서의 의무를 부담할 의사가 없이 임대차보증금보다도 적은 매매대금만을 받고자 한다는 점을 충분히 알고 있었을 것으로 보인다.

② 한편 이 사건 매수인들은 시세 차익을 얻기 위해 임차인 있는 부동산을 매수한 일반적인 갭투자자들이 아니라, 피고인 A, B 등 명의 모집자들로부터 '일정한 금전적 대가를 줄 테니 부동산 취득하는 데 명의만 제공해 달라'는 취지의 제안을 받고, 금전적 대가를 받을 목적으로 단순히 매수 명의만 제공한 사람들이다. 이 사건 매수인들은 매매에 필요한 서류만 제공하였을 뿐 자신이 취득할 빌라를 확인해 보거나 매매계약 체결 시에 참석하지도 않았고, 소유권이전 비용도 스스로 부담하지 않았다. 피고인 A, B은 일부 빌라(별지 범죄일람표 순번 2, 5, 8, 11번)에 관하여 매수인 의사와 무관하게 임의로 제3자에게 근저당권을 설정하여 주고 그 대가로 이익을 얻기도 하였다. 따라서 이 사건 매수인들은 오직 명의만 제공할 의사가 있었을 뿐, 임대차계약 및 임차인의 존재도 알지 못하였고, 임대인으로서의 의무를 부담할 의사가 전혀 없었으며, 400만 원 정도의 금전적 대가를 받을 목적으로 자신의 명의를 함부로 내어줄 정도로 경제적 여유가 없는 사람들로서 거액의 임대차보증금반환채무를 부담할 능력도 없었다. 피고인들은 매수인들 명의와 서류만을 서로 대가를 주고받으며 거래하였으므로, 이 사건 매수인들이 진정한 투자자가 아니라 단순히 명의만 제공한 자들로 임대인으로서의 의무를 부담할 의사와 능력이 없음을 충분히 인식하고 있었을 것으로 판단된다(피고인들이 이 사건 매수인들의 신용점수나 신용불량자 여부를 구체적으로 알지 못하였더라도 마찬가지이다).

③ 이 사건 무렵 'V' 어플에 '동시진행'이라는 용어가 통용되고 있었고 부동산중

개업자 등 관련 진술자들도 그 의미에 대해 잘 알고 있었는바, '동시진행' 방식은 부동산업계에서 공공연히 행하여지고 있었던 것으로 보인다. 특히 이 사건 범행에서 구조화된 '동시진행' 방식은 필수적으로 명의만 제공하는 매수 명의자들이 있어야 한다. 피고인들은 위와 같은 '동시진행' 구조 및 매수 명의자 모집 과정에 대하여 모두 잘 알고 적극적으로 '동시진행' 방식을 추진하면서 필요한 각자의 역할을 담당하였던 것으로 보인다(피고인 A, B은 매수 명의자 모집 및 공급, 피고인 C은 매수 명의자 서류 유통 및 '동시진행' 방식 계약 진행, 피고인 D, E는 '동시진행' 방식 계약 진행의 역할을 각각 담당함). 피고인들은 최대한의 이익을 얻기 위하여 임대차보증금을 가능한 한 최고 금액으로 책정하고, 임차인들로부터 받은 보증금에서 매도인들에게 실질적으로 주기로 한 매매대금을 뺀 나머지 금원, 이른바 리베이트를 각자 역할에 따라 순차 지급하여 나누어가졌다.

④ 결국 이 사건 매도인들, 매수인들, 피고인들 중 아무도 임대인으로서의 의무를 실질적으로 부담할 의사를 갖고 있지 않았고, 각자 자신들의 이익을 챙기는 데만 관심이 있었으며, 전세보증보험에만 가입되어 있으면 법적으로 아무 문제없다고 생각했을 뿐이었다.

⑤ 이 사건 피해자들은 위와 같은 사정에 관하여 전혀 알지 못한 상태로 임대차계약을 체결하게 되었고, 만약 그러한 사정을 알았다면 임대차계약을 체결하지 않았을 것임은 경험칙상 명백하다고 판단된다.

⑥ 임차인들 중 일부가 전세보증보험에 가입하였다거나 그 보험금을 수령할 수 있다고 하더라도 이는 범행 이후의 사정에 불과하고, 재산상 손해 발생 여부는 사기죄의 요건이 아니므로, 보증보험 가입 여부는 사기죄 성립에 영향을 미치지 않는다. 오히려 피고인들은 보증보험에 의한 임대차보증금 대위변제가 가능하다는 점을 이 사건 범행에 악용한 것으로 보인다.

위와 같은 사정들을 종합하여 보면, 피고인들은 이 사건 각 임대차계약의 직접 당사자는 아니지만, 리베이트 등 수익 창출을 위해 인위적으로 매수 명의자들을 모집·이용한 '동시진행' 구조를 형성하여 피해자들로 하여금 임대차계약을 체결하고 임대차보증금을 임대인들에게 지급하도록 하였으므로, 신의성실의 원칙상 피해자들에게 위와 같은 사정을 고지할 의무가 있음에도 이를 고지하지 아니한 것은 피해자들을 기망한 것으로서 사기죄를 구성한다. 또한, 비록 피고인들 전체의 모의과정이 없다거나 일부 피고인들이 서로 직접 의사연락을 한 바 없다고 하더라도, 피고인들 사이에 순차적으로 또는 암묵적으로 상통하여 이 사건 범행에 관한 의사의 결합이 이루어진 것으로 볼 수 있으므로, 피고인들 간에 공모관계가 성립한다.

따라서 위 피고인들 및 변호인들의 주장은 모두 받아들이지 않는다.

또한, 이러한 피해를 입지 않기 위해서는 보증보험에 가입할 필요가 있는데, 최근 이러한 동시진행사기를 알게 된 보험회사가 이러한 물건에 대해 전세보증보험을 꺼리는 경우가 많아 더욱 큰 문제가 되고 있는 상황으로, 현재로서는 최대한 시세를 잘 가늠해보는 것이 그나마 피해를 막는 방법으로 보인다.

2-9. 전입신고 잠깐 말소해달라 전세사기

실제사례

피고인은 서울시 동대문구 M외 1필지 N건물 O호(이하 '이 사건 제3부동산'이라 한다)를 새로 매입한 자이고, 피해자 P는 위 부동산에 대하여 이미 임차보증금 2억 6천만 원에 임대차계약 체결하고 거주하고 있는 임차인이다.

피고인은 2017. 2. 초순경 피해자의 아버지이자 대리인인 Q에게 위 부동산 분양팀 팀장인 R를 통하여 "피고인이 위 부동산을 새로 매입하여 등기가 이전될 예정이니 새로운 임대차계약서를 작성해야 하는데 처음 분양팀과 계약할 당시 특약사항에 기재한 내용과 같이 피고인이 1,000만 원을 대출받아야 하는데 그러기 위해서는 주민등록상 세입자가 없어야 하므로 잠시 주소를 다른 곳으로 이전해 달라."라고 말하였다.

그러나 사실 피고인은 신용상태가 극히 불량하고 피해자와 새로 임대차계약을 체결하더라도 피해자에게 임대보증금 전액을 변제할 의사나 능력이 전혀 없으며 또한 피해자가 다른 부동산에 잠시 주소를 이전하더라도 특약사항에 기재한 내용과 같이 1,000만 원 뿐만 아니라 추가로 사채업자에게 거액의 대출을 받을 생각을 가지고 있었다.

피고인은 이에 속은 피해자로 하여금 2017. 2. 14.경 피고인의 주소지인 '서울시 동대문구 S, T호'로 전입신고를 하도록 하고, 이미 약정된 1,000만 원 대출 이외에 2017. 2. 22.경 사채업자로부터 5,000만 원을 추가로 대출받으면서 위 부동산에 채권최고액 7,500만 원의 근저당권을 새로 설정하여 피해자가 임차인으로 보유하고 있는 주택임대차보호법 소정의 우선변제권을 상실하게 하였다.

이로써 피고인은 위와 같이 피해자를 기망하여 이에 속은 피해자로부터 7,500만 원 상당의 재산상 이득을 취득하였다.

위 사례는 전세자금대출금을 편취하는 사기와 동시에 일어나는 경우가 많은 사기유형으로, 임차인은 위와 같은 사기로 인해 임차인으로서 우선변제권을 상실하는 피해를 입게 될 뿐 아니라, 수사기관에서 전세자금대출사기의 공범으로 의심받아 조사까지 당하는 이중의 피해를 입게되는 경우가 많다.

위 사안은 앞서 설명드린 대로 이른바 전세자금대출사기와 패키지로 일어나는 사기행각으로, 전세자금 대출기관을 사기쳐 대출금을 편취함과 동시에 임차인에게 위와 같은 피해를 입힌 뒤, 다시 대출을 또 받아 이중 삼중으로 여러 피해를 양산하는 사기행각이다.

즉, 허위근로자 전세대출사기를 치는 것 뿐 아니라 집을 매수한 뒤 허위임차인으로 전세자금대출을 받아 전세사기를 한번 치고, 그 뒤에 허위임차인으로 전입신고되어 있는 부분을 말소하여 대항력있는 임차인이 없는 것으로 보이게 한 뒤 아파트를 담보로 담보대출을 하여 대출금을 챙기는 수법을 쓰는 과정에서, 실제 임차인을 받아 위와 같이 속인 뒤 대출금을 받는 사기 또한 함께 치는 경우가 발생하는 것이다.

결국 위와 같은 사례에서는 앞서 말씀드린 대항력, 우선변제권의 개념을 철저히 이해하고 이러한 사기꾼들의 점유이전이나 전입신고 이전 등의 요청에 절대 응하는 일이 없도록 하여야 한다. 이러한 협조에 잘못 응하는 경우 사기피해 뿐 아니라 위와 같은 전세대출사기범의 공범으로까지 몰릴 우려가 크다.

判 例

서울북부지방법원 2022. 11. 2. 선고 2021고단200, 2021고단704 판결

이 법원에 적법하게 채택하여 조사한 증거들에 의하여 알 수 있는 아래 ① 내지 ⑤와 같은 사정들에 비추어 볼 때, 피고인은 판시 범죄사실과 같이 1,000만 원의 대출을 받고 이에 대한 근저당권을 설정하겠다는 취지로 피해자를 기망하여 피해자로 하여금 주소이전을 함으로써 이 사건 제3부동산에 관하여 주택임대차보호법상 가지고 있던 우선변제권을 상실시킨 뒤 위 부동산을 담보로 추가 대출을 받고 근저당권을 설정함으로써 피해자로부터 재산상 이익을 편취한 사실 및 피고인의 편취의 고의를 충분히 인정할 수 있으므로, 피고인 및 변호인의 위 주장 역시 받아들이지 않는다.

① R는 이 법정에서 "당시 피고인의 부탁을 받고 Q에게 '세입자가 있는 경우에는 융자가 되지 않는다. 융자받기 위해서는 세입자가 없어야 가능하다. 일주일동안 주소를 이전해 달라'는 피고인의 요청을 전달하였다. 피해자가 피고인의 집 주소로 전입한 것도 피고인의 부탁에 의한 것이다."라는 취지로 진술하였다.

② Q는 이 법정에서 "주소 전출과 관련하여 피고인과는 통화하지 않고 R와 통화하였는데, R로부터 피고인이 위와 같이 부탁했다는 말을 들었다. 이 사건 제3부동산에 다시 주소 이전하고 확정일자를 받은 후 1~2일이 지났는데 R가 화를 내면서 '위 부동산에 1,000만 원 말고 5,000만 원을 피담보채무로 한 채권최고액 7,500만 원의 근저당권이 설정되어 있다'라고 말해 주었고, 이에 R와 함께 중개인을 찾아가 항의하였다. 며칠 뒤 피고인을 만나서 위 근저당권의 해지를 요청하였고, 이에 피고인은 '죄송하다. 금방 해결해 주겠다.'라고 말하였으나 위 약속은 지켜지지 않았다."라고 진술하였는바, Q의 위 진술은 피고인의 부탁을 받아 피해자 및 Q에게 전출 요청을 전달하기만 했다는 취지의 R의 진술 내용에 부합한다.

③ 피고인은 R가 스스로 Q 또는 피해자에게 전출을 요청하였을 뿐 자신이 R에게 이를 부탁한 사실이 없다고 변소하나, R 및 Q의 위 진술 내용을 비롯하여 피해자의 주소 전출 및 우선변제권 소멸로 인한 이익이 모두 피고인에게 돌아간 점, R는 위 N 건물의 분양업무를 담당하던 사람이었는데 이미 2016. 7. 1. 피고인과의 이 사건 제3부 동산에 관한 분양계약이 체결된 상태였으므로 R가 피고인과의 분양계약을 성사시키기 위하여 스스로 임차인에게 이와 같은 무리한 요청을 할 유인도 존재하지 않았을 것으로 보이는 점 등의 사정에 비추어 보면 피고인의 위 변소를 받아들이기 어렵다.

④ 피고인의 주장과 같이 피해자가 2016. 11. 21. 이 사건 제3부동산의 전 소유자인 AB, AC과 체결한 임대차계약의 특약사항에는 '잔금과 동시에 임대인은 실 융자 1,000만 원 있는 조건'이라는 조항이 포함되어 있기는 하다(2021고단704호 증거기록 2권 14~15쪽). 그런데 피고인과 피해자 사이의 임대차계약에도 같은 내용의 조항이 포함되어 있는 점, 피고인은 2

017. 2. 23.경 피해자와 임대차계약서를 다시 작성하였는데, 이때에도 채권최고액 7,500만 원의 근저당권 설정 사실을 고지하지 않거나 임대차계약 내용에 포함시키지 않은 점, 피고인이 2017. 3.경 피해자에게 '1,000만 원의 약조한 바를 어기고, 2017. 2. 22. 7,500만 원의 근저당 설정이 이루어져 2017. 2. 13.까지 위 근저당을 해지키로 약조하였으며...'라고 기재된 확인서(2021고단704호 증거기록 2권 18쪽)를 작성하여 교부한 점 등에 비추어 볼 때, 피해자가 2017. 2. 14. 위 부동산에서 전출한 것은 AB 등과의 임대차계약에 정한 특약조항 때문이 아니라 피고인이 피해자에게 추가 대출까지 받을 의도를 숨긴 채 단지 1,000만 원의 대출 및 채권최고액 1,500만 원의 근저당권 설정을 위하여 전출해 달라고 기망하였기 때문인 것으로 봄이 타당하다.

⑤ 피고인은 2017. 2. 22.경 채권최고액 7,500만 원의 근저당권을 추가로 설정할 당시 피해자가 다시 전입신고를 마쳤을 것으로 생각하였다는 취지로 변소하나, 증인 Q가 이 법정에서 "R로부터 '등기절차가 마무리되면 다시 전입신고하라.'는 말을 들어 2017. 2. 22.까지 전입신고를 마치지 못했다. 2017. 2. 22. R로부터 '피고인이 주소를 이전해도 된다고 했다'는 전화를 받았고 곧바로 임대차계약서를 다시 작성한 뒤 전입신고를 하였다. "라고 진술한 점, 만일 피해자가 2017. 2. 22. 이전에 전입신고를 마치고 확정일자를 받아 우선변제권 요건을 갖추었다면 위 부동산의 잔여 담보가치가 대폭 줄어들게 되어 피고인으로서는 추가 대출을 받기 어려웠을 것으로 보이는 점[피고인에게 추가 대출을 해준 차주인 X은 수사기관에 "추가 대출 당시 전입세대 열람원을 확인하였고, 만약 전입자가 있었다면 대출하지 않았을 것이다."라는 취지로 진술한 바 있고(2021고단704호 증거기록 1권 79, 81쪽), 이 사건 제3부동산은 2018. 12. 31. 임의경매절차에서 피해자의 임대차보증금의 액수(260,000,000원)보다 더 적은 금액인 25

6,137,000원에 매각되었다(2021고단704호 증거기록 2권 26쪽)] 등과 같은 제반 사정에 비추어 볼 때, 피고인의 위 변소는 수긍하기 어렵고 피고인은 피해자에게 임대차계약에서 약정한 1,000만 원의 대출을 받는 것으로 오인하게 하여 우선변제권을 상실하게 한 뒤 그 기화로 추가 대출을 받으면서 위 근저당권설정까지 마친 것으로 보일 뿐이다.

2-10. 공동담보물건 전세사기

실제사례

피고인 B은 신용불량자인 관계로 타인 명의로 대출을 받아 빌라를 매수하여 임대사업을 하기로 마음먹고, 피고인 A(개명 전 'P')에게 제안하여 승낙을 받고, 피고인 A는 매수인 명의를 제공하고, 피고인 C은 위와 같이 매수한 빌라에 리모델링 공사를 진행하고, 매수한 빌라를 임대하여 공사비용을 지급받기로 하였다.

이에 따라 피고인들은 ① 2020. 11. 25. 피고인 A 명의로 Q조합에서 대출을 받아 같은 달 26. 매수잔금을 지급하여 '대전 서구 R건물(구 S빌라)'를 매입한 다음 2020. 12. 23. 위 Q조합에서 추가로 대출을 받아 일부 위 대출을 상환하고, 나머지 총 4억 1,400만 원의 대출금에 대한 담보로 R건물에 위 Q조합에 대한 근저당권을 설정해 주었고, ② 2021. 1. 29. 피고인 A 명의로 위 Q조합에서 받은 대출금과 R건물의 전세보증금으로 '대전 서구 T빌라'를 매입한 다음 6억 2,400만 원의 대출금에 대한 담보로 T빌라에 위 Q조합에 대한 근저당권을 설정해 주었다.

피고인 B, 피고인 A는 위 각 빌라를 매수하면서 스스로의 자금을 투자한

> 바 없고, 임차인들로부터 받은 보증금을 우선 피고인 C에 대한 약 12억 원 상당의 리모델링 공사비용에 충당하기로 하여 초반 많은 비용의 지출이 발생할 수밖에 없었음은 물론 위 각 빌라의 교환가치로는 초기에 계약한 소수의 선순위 임차인들의 보증금만 담보할 수 있는 이른바 '깡통전세'가 될 수밖에 없는 상황을 잘 알고 있었을 뿐만 아니라, 각 대출금의 원리금을 변제할 자력도 없는 상태에서, 임차인들에게 선순위 근저당권이나 임차보증금이 없거나 적은 것처럼 거짓말하여 전세보증금을 받아 위 리모델링 공사비용과 피고인들의 수익으로 충당하기로 모의하였다.
>
> 위 사례는 공동담보, 즉 여러 빌라를 한꺼번에 묶어 담보로 잡은 대출기관의 근저당등기에 대해 실제 채무가 얼마 안된다고 하면서 전세금을 편취하는 사기유형으로, 최근 깡통사기 사건과 관련하여 많은 유형을 차지하고 있다.

위 사안은 깡통전세사기의 파생유형으로, 건축주가 여러 호실을 한꺼번에 공동담보를 잡아 수십억을 대출하고, 이러한 대출금액에 대해 금융기관에 근저당권이 설정되어 있는 상황에서 건물 전체의 가치가 매우 크며, 근저당권부 채무가 얼마 되지 않는다고 사기행각을 벌여 전세사기피해가 발생하게 되는 경우이다.

이러한 공동담보 전세사기 피해를 어느 정도 회복할 방법은 실질적으로 공인중개사를 상대로 손해배상청구를 하는 것 외에는 달리 방법이 없는 상황인데, 이에 대해 법원은 공인중개사에 대한 손해배상책임을 인정하는 경우와 부정하는 경우가 나뉘고 있는 상황이다. 아래 판결은 확인·설명의무를 위반하였다는 이유로 손해배상책임을 인정한 사례이다.

判 例

서울중앙지방법원 2022. 10. 17. 선고 2022가단5033206 판결

① 등기사항전부증명서에 이 사건 근저당권에 관하여 공동담보목록이 표시되어 있었음에도 피고 B은 이 사건 임대차계약을 중개함에 있어 원고에게 이 사건 오피스텔에 채권최고액 18억 원인 근저당권이 설정되어 있다는 사실만을 설명하고, 이를 중개대상물 확인설명서에 기재하였을 뿐, 공동담보로 제공된 부동산에 대한 정보를 조사하지도 아니하였고, 이를 원고에게 전혀 알리지 아니하였다.

② 공인중개사관련법령에 따라 피고 B은 임대의뢰인 E에게 공동담보의 제한물권 관련 자료를 요구할 수 있고(공인중개사법 제25조 제2항, 같은 법 시행령 제21조 제1항 제2호), E이 이에 불응할 경우 이를 중개대상물 확인·설명서에 기재하여야 하는데(같은 법 시행령 제21조 제2항), 피고 B이 작성한 중개대상물 확인·설명서에 따르면 피고 B은 이와 같은 서류를 전혀 요구하지 않은 것으로 보인다.

③ 뿐만 아니라 근저당권의 공동담보목록은 임대의뢰인의 협조가 없더라도 쉽게 얻을 수 있음에도 피고 B은 그러한 조치를 취하지 않은 것으로 보인다.

> ④ 이 사건 오피스텔과 공동담보로 제공된 부동산은 모두 이 사건 오피스텔과 같은 건물에 있는 구분건물인 오피스텔로 주거용으로 사용되고 있었는데, 원고가 공동담보로 제공된 부동산의 정보를 알았더라면 공동담보 부동산 전체의 숫자(앞서 본 바와 같이 이 사건 오피스텔을 포함하여 총 23채이다), 공동담보 부동산 전체의 시가(사후적으로 경매절차에서 26억 6,800만 원으로 감정평가되었다), 원고가 이 사건 임대차계약을 체결하면서 정한 임대차보증금액(앞서 본 바와 같이 6,000만 원이다)을 통해 추측할 수 있는 다른 공동담보 부동산에 관한 예상 임대차보증금 액수, 이로 인한 다른 공동담보 부동산의 소액임차인 우선변제 가능성, 다른 공동담보 부동산의 임차인이 이 사건 근저당권보다 선순위일 가능성 등을 고려할 때 보증금 전액의 회수 가능성이 떨어지므로, 이 사건 임대차계약을 체결하지는 않았을 것으로 보인다.
>
> 따라서 피고 B은 이 사건 임대차계약의 중개행위 당시 선량한 관리자의 주의의무를 위반하였으므로, 원고에게 그 손해를 배상할 의무가 있다.

이러한 피해를 막기 위해서는 등기부상 공동담보 근저당설정등기가 있는지 여부를 우선 확인하고, 이러한 등기가 있는 경우 되도록 전세계약을 체결하는 것을 신중히 생각하기를 권한다.

어쩔 수 없이 이러한 계약을 하여야 한다면, 위 소개드린 판결에서 언급하고 있는 바와 같이 ① 공동담보 부동산 전체의 숫자, ② 공동담보 부동산 전체의 시가, ③ 임차인이 이 사건 임대차계약을 체결하면서 정한 임대차보증금액을 통해 추측할 수 있는 다른 공동담보 부동산에 관한 예상 임대차보증금 액수, ④ 이로 인한 다른 공동담보 부동산의 소액임차인 우선변제 가능성, ⑤ 다른 공동담보 부동산의 임차인이 근저당권보다 선순위일 가능성 등을 고려할 때 보증금 전액의 회수 가능성 등을 고려하여 전세계약을 체결하는 것이 그나마 안전한 방법일 것이다.

2-11. 하루차 근저당 전세사기

위 사안은 고전적인 전세사기수법으로, 전세금 잔금을 치르고 전입신고와 확정일자를 받은 당일 대출 근저당을 설정하여 대출금을 받고 사라지는 사기수법이다.

대항력은 앞서 설명드린 바와 같이 다음날 0시에 발생하는 것인데, 문제는 근저당권 설정의 경우에는 등기 접수시부터 바로 효력이 발생하는 것이 문제이다.

이러한 문제를 해결하기 위해 법을 개정하여 대항력도 접수 즉시 효력이 발생하도록 하자는 움직임이 있었으나, 이러한 법 개정이 힘든 이유는 앞서 설명드린 사례와 유사하게 전세금 대출기관, 금융기관 등을 상대로 한 대출사기가 역으로 횡횡하게 될 가능성이 크기 때문이다.

이에 따라, 최근에는 은행이 주택담보대출 심사 전 임대인 동의를 받아 담보주택의 확정일자 정보를 확인한 후 대출을 실행하는 제도를 운영하고 있으나, 여전히 완벽한 대책일 수는 없다.

임차인의 입장에서 이러한 사기피해를 막을 수 있는 가장 좋은 방법은 전세권설정등기인데, 이러한 전세권설정등기는 위 근저당설정등기와 같이 접수 당일 즉시 발생하고, 근저당권 설정의 접수가 전세권설정등기의 접수보다 빠른 경우가 아닌 한 보호를 받을 수 있는 상황이 되기 때문이다.

다만 문제는 전세권설정등기시 집주인의 협조(동의)가 필요하고, 전세권등기설정을 위해 발생하는 변호사·법무사 사무실 비용, 그 외 수수료의 부담이 발생하여 이러한 전세권설정등기가 보편화되지는 못하고 있는 실정이다.

12	전세권설정	2020년4월[illegible]일 제[illegible] 5호	2020년3월[illegible]일 설정계약	전세금 금350,000,000원 범 위 주거용 건물전부 존속기간 2020년 월 29일부터 2022년 월 28일까지 전세권자 27-*******
12-1				12번 등기는 건물만에 관한 것임 2020년4월29일 부기

3. 전세보증보험만으로 안심금물

이러한 전세사기사례로 인해, 최근 많은 분들께서 HUG나 HF, 서울보증보험에서 취급하는 전세보증보험을 가입하고 있는 것으로 보인다.

그리고, 임대사업자의 경우에는 의무적으로 반환보증에 가입하도록 하고 있으나, 이러한 반환보증 가입의무를 어기는 경우도 있으며 가입이나 갱신이 거절되는 경우도 종종 있다.

그런데, 이러한 전세보증보험을 무턱대고 믿고 앞서 설명드린 주의사항을 제대로 이행하지 않을 경우 큰 낭패를 볼 수 있다.

(쉽게 설명드리면, 암보험을 가입했는데 암이 발생하자 보험회사에서 여러 의무를 위반했다고 주장하면서 보험금 지급이 거절되는 경우와 같이, 전세보증보험 또한 이러한 낭패를 볼 우려가 있다는 것이다)

최근 문제가 된 대표적인 사례로는 임대인이 계약서와 다른 내용으로 도장과 사인을 위조한 보증보험 서류를 제출했는데

뒤늦게 주택도시보증공사, HUG가 이 사실을 알고 보증보험을 해지한 경우이다.

뿐만 아니라, ① 점유를 상실하거나 타지로 전입신고를 하는 등으로 대항력과 우선변제권이 상실되는 경우, ② 임대인이 변경된 사실을 확인하였음에도 이를 알리지 않거나(특히 이른바 '동시진행'사기시 문제가 되는 경우가 특히 많음), ③ 갱신과정에서 전세금이 증액된 경우, ④ 묵시적 갱신과정에서 알리지 않는 경우, ⑤ 만기후 재계약시 알리지 않는 경우, ⑥ 경공매 상황을 알리지 않는 경우, ⑦ 다운계약서나 업계약서를 쓰는 경우(전세대출금을 많이 받기 위해 업계약서를 쓰다 낭패를 보는 경우가 있다) 등에는 보증보험기관에서 보증이행을 거절할 가능성이 높다.

그리고, 전세보증보험을 청구하기 위하여는 계약기간 만료 6개월 전부터 2개월 전 사이에 집주인에게 계약기간을 연장하지 않겠다는 갱신거절의사를 반드시 통지하여 묵시적 갱신이 되지 않도록 해야 보증금 청구가 가능하다.

문제는 임대인이 연락을 받지 못했다고 주장하거나 전화로 갱신거절을 밝히면서 관련 증거를 남겨놓지 않는 경우 갱신거절의사의 표시여부가 불투명하게 되어 보증보험청구가 거절되는 경우도 발생할 수 있으므로, 이러한 점을 고려하여 반드시 집주인의 수신이 확인되는 증거로 갱신거절의사를 남길 필요가 있고, 연락이 되지 않을 경우는 법원을 통한 의사표시의 공시송달제도(1달 이상이 소요되는 경우가 많다) 등을 이용하여 빠르게 행동을 취하여야 할 필요가 있다.

이러한 점에서, 전세보증보험이 있더라도 전세계약시 앞서 설명드린 사기피해를 막기 위한 주의사항을 반드시 지켜 전세금을 지킬수 있는 안전장치를 하나라도 늘리는 것이 안전한 대비방법으로 방심은 곧 피해로 이어짐을 명심하여야 한다.

또한, 보증보험의 가입이 어렵다는 물건은 '위험한 물건'일 가능성이 높음을 알려주는 알리미 같은 것으로서, 보증보험가입이 어려운 물건에 대하여는 되도록 계약을 체결하지 말고, 임대차계약 전 반드시 보증보험이 가입 가능한 물건인지, 가입이 불가능하다면 계약을 해제할 수 있는 특약사항을 기재하는 것도 필요할 것이다.

4. 집주인이 바뀌는지 등기부를 종종 발급받아 보라

앞서 살펴본 바와 같이, 깡통사기나 동시진행사기에서 사기꾼들이 사용하는 수법은 '소유자를 바지 명의로 변경하고 자신은 책임을 지지 않는 방법'을 쓰고 있다는 것이다.

그런데, 이러한 소유권자 변경에 대해 임차인이 쓸 수 있는 방법이 하나 있다. 바로 소유권자 변경시 임대차계약 해지 및 원소유자에의 전세금반환청구소송을 제기하는 방법이다.

判例

대법원 2002. 9. 4. 선고 2001다64615 판결

대항력 있는 주택임대차에 있어 기간만료나 당사자의 합의 등으로 임대차가 종료된 경우에도 주택임대차보호법 제4조 제2항에 의하여 임차인은 보증금을 반환받을 때까지 임대차관계가 존속하는 것으로 의제되므로 그러한 상태에서 임차목적물인 부동산이 양도되는 경우에는 같은 법 제3조 제2항에 의하여 양수인에게 임대차가 종료된 상태에서의 임대인으로서의 지위가 당연히 승계되고, 양수인이 임대인의 지위를 승계하는 경우에는 임대차보증금 반환채무도 부동산의 소유권과 결합하여 일체로서 이전하는 것이므로 양도인의 임대인으로서의 지위나 보증금 반환채무는 소멸하는 것이지만, 임차인의 보호를 위한 임대차보호법의 입법 취지에 비추어 임차인이 임

대인의 지위승계를 원하지 않는 경우에는 임차인이 임차주택의 양도사실을 안 때로부터 상당한 기간 내에 이의를 제기함으로써 승계되는 임대차관계의 구속으로부터 벗어날 수 있다고 봄이 상당하고, 그와 같은 경우에는 양도인의 임차인에 대한 보증금 반환채무는 소멸하지 않는다.

위 대법원 판결과 같이, 임대차계약기간이 남아있는 과정에서 주택의 소유자가 변경된 사실을 안 경우, 임차인은 임대인의 지위승계를 원하지 않는다면 이의를 제기하여 신소유자가 아닌 이전 소유자(양도인)에게 임대차보증금반환청구를 할 수 있는 것으로, 이러한 방법을 적극 활용하여 볼 필요가 있다.

判 例

창원지방법원 마산지원 2022. 8. 10. 선고 2021가단10**** 판결

원고가 이 사건 부동산이 F에게 매도되기 이전인 2021. 2.경 피고에게 이 사건 임대차계약의 해지 또는 종료를 원한다는 취지의 통지를 한 사실은 앞서 본 것과 같고, 갑 제1, 제4호증의 각 기재에 변론 전체의 취지를 종합하면, 원고가 이 사건 부동산이 F에게 매도된 직후인 2021. 6. 8. 이 사건 임대차계약에 관한 부동산임차권등기명령신청을 하고, 같은 해 7. 15. 임차권등기명령을 받은 후인 같은 해 7. 22. 이 사건 부동산에서 퇴거한 사실을 인정할 수 있고, 원고가 2021. 8. 6. 이 법원에 이 사건 임대차계약에서 정한 임대차보증금의 반환을 구하는 이 사건 소를 제기한 사실은 이 법원에 현저하다.

위 인정사실에 의하면, 원고와 피고 사이에 2021. 2.경 원고의 이 사건 임대차계약 해지 또는 종료의 통지에 따라 이 사건 임대차계약은 2021. 5. 14. 기간만료로 종료되었다 할 것이고, 원고는 위와 같이 임차권등기명령신청 및 임대차보증금의 반환을 구하는 이 사건 소를 제기함으로써 피고에게 임대인의 지위승계를 원하지 않는다는 의사를 표시하였다고 할 것이다(이와 같은 점에서 이 사건 임대차계약을 승계한 F이 임대차보증금반환의 책임을 부담한다는 피고의 주장은 이유 없다).

따라서 피고는 원고에게 이 사건 임대차계약의 종료에 따라 위 계약에서 정한 임대차보증금 45,000,000원 및 이에 대하여 원고가 구하는 바에 따라 이 사건 소장 부본이 피고에게 송달된 다음날인 2021. 8. 28.부터 이 판결 선고일인 2022. 8. 10.까지는 민법이 정한 연 5%, 그 다음날부터 다 갚는 날까지는 소송촉진 등에 관한 법률이 정한 연 12%의 각 비율로 계산한 돈을 지급할 의무가 있다.

또한, 이러한 소유권자의 변경사실을 확인하였다면 그 즉시 전세금 보증보험회사에 이러한 사실을 알려야 함도 잊어서는 안된다.

5. 임대차 관련 정보제공, 임대인의 정보제시의무

『주택임대차보호법』

제3조의6(확정일자 부여 및 임대차 정보제공 등) ③ 주택의 임대차에 이해관계가 있는 자는 확정일자부여기관에 해당 주택의 확정일자 부여일, 차임 및 보증금 등 정보의 제공을 요청할 수 있다. 이 경우 요청을 받은 확정일자부여기관은 정당한 사유 없이 이를 거부할 수 없다.
④ 임대차계약을 체결하려는 자는 임대인의 동의를 받아 확정일자부여기관에 제3항에 따른 정보제공을 요청할 수 있다.

제3조의7(임대인의 정보 제시 의무) 임대차계약을 체결할 때 임대인은 다음 각 호의 사항을 임차인에게 제시하여야 한다.
1. 제3조의6제3항에 따른 해당 주택의 확정일자 부여일, 차임 및 보증금 등 정보. 다만, 임대인이 임대차계약을 체결하기 전에 제3조의6제4항에 따라 동의함으로써 이를 갈음할 수 있다.
2. 「국세징수법」 제108조에 따른 납세증명서 및 「지방세징수법」 제5조제2항에 따른 납세증명서. 다만, 임대인이 임대차계약을 체결하기 전에 「국세징수법」 제109조제1항에 따른 미납국세와 체납액의 열람 및 「지방세징수법」 제6조제1항에 따른 미납지방세의 열람에 각각 동의함으로써 이를 갈음할 수 있다.
[본조신설 2023. 4. 18.]

최근 주택임대차보호법의 개정으로 임대인은 임대차계약을 체결할 때 해당 주택의 확정일자 부여일, 차임 및 보증금의 정보, 국세징수법, 지방세징수법에 따른 납세증명서를 요구할 수 있고, 이러한 서류는 열람동의도 가능하게 되었다.

이전에는 임차인이 이러한 서류를 챙기는 근거조항이 없어 중개사 또한 이러한 요청을 하기가 쉽지 않았으나, 위 조항이 들어오면서 해당 서류를 요구할 수 있는 근거가 생겼고, 이를 근거로 설령 발급이 귀찮다고 회피하더라도 열람동의서를 받아 이를 확인할 수 있게 되었다.

이러한 조항이 들어온 이유는 바로 위와 같은 서류를 챙겨보아야 전세사기의 피해를 줄일 수 있다는 점에 있다.

등기부 외에 위와 같은 정보를 확인하여야 하는 이유, 특히 세금과 관련된 정보를 확인하여야 하는 이유는 바로 당해세 때문이다. 당해세란 해당(당해) 부동산에 부과된 세금을 말하는 것으로, 종부세, 재산세, 상속세, 증여세 등이 그 예이다.

최근 법률의 개정으로 2023. 4. 1.이후 당해세의 경우 법정기일(고지서·통지서발송일, 신고일, 납세의무확정일 등)을 따져서, 세입자의 확정일자가 당해세의 법정기일보다 빠르면 세입자가 먼저 배당을 받게 되지만, 이보다 늦는다면 후순위가 되게 된다.

특히 최근 빌라에서 문제가 되고 있는 당해세는 '종합부동산세'인 경우가 상당히 많은데, 그 이유는 앞서 설명드린 '빌라왕, 오피스텔왕'의 사례처럼 다수의 빌라, 오피스텔을 보유하고 있어 종합부동산세가 발생할 가능성이 높기 때문이다.

따라서, 임차인이 다수의 빌라나 오피스텔을 보유한 경우 중개업자들이 '재산이 많아 안전하다'고 안내하는 경우도 있으나, 오히려 이렇게 다수의 빌라나 오피스텔을 보유한 경우 당해세의 발생가능성이 높아 이러한 사고의 가능성 또한 외려 높아진다는 점을 인식할 필요도 있다.

6. 중개사에 대한 손해배상책임 및 과실상계

중개업자(개업공인중개사) 및 소속공인중개사, 중개보조원이 앞서 언급한 확인·설명의무 위반을 한 경우는 물론, 그 외 의무를 위반한 경우 불법행위에 기한 손해배상책임을 진다.

결국, 이러한 불법행위책임의 성질로 인해 위와 같은 확인 설명의무를 위반한 공인중개사, 중개보조원은 이른바 부진정연대채무를 부담하게 되며, 이러한 부진정연대채무의 성질에 의해 각자 독립하여 전세사기 피해자에게 확정된 손해배상액 전부를 이행할 의무를 부담하게 된다.

예를 들어, 개업공인중개사의 중개와 소속공인중개사, 중개보조원의 중개행위 보조 아래 신탁물건에 대한 임대차계약을 중개하였으나, 확인·설명의무를 위반하여 소송 끝에 손해배상책임이 확인된 경우 위 3인이 모두 피해자에게 배상할 액수의 전액을 책임지게 되고, 대신 위 3인 중 누군가가(합산하여 총액이 되는 경우 포함) 배상액 전액을 변제한 경우 나머지 인원이 그 책임을 면하게 되는 것이다(법원의 판결문 주문 기재상 '공동하여'로 표기된다).

또한, 전세사기피해를 입은 피해자가 중개사, 중개보조원에 대한 손해배상책임을 묻는 경우, 대부분 법원의 판결은 이른바 과실상계를 하여 손해배상액을 깎는 결정을 내리고 있는데, 그 비율 또한 상당히 높은 경우가 있어 전문가인 중개업자를 믿고 보수를 지급하며 중개를 맡긴 중개의뢰인 입장에서는 상당히 불만스러운 요소가 될 수 있다.

과실상계란 불법행위책임의 성립, 손해발생 및 그 확대에 있어 피해자에게도 과실이 있는 경우, 법원이 손해배상책임의 유무 및 그 배상액의 범위를 정함에 있어 그 피해자의 과실을 참작하는 것을 말한다(민법 제396조, 제763조).

이러한 과실상계를 인정하는 이유는 사안에 따라 피해자에게 발생한 손해액 전부를 인정하는 것이 신의칙이나 공평의 원칙에 반하는 경우가 있기 때문이다.

특히 일부 판결에서는 과실상계에 있어 중개업자가 받은 중개수수료가 매우 소액일 경우, 과실상계에 있어 과실비율을 더 높게 책정하는 경향이 발견되기도 하는데, 이는 일부 고가 부동산 매매를 제외한 상당수의 중개행위에 있어 중개수수료가 낮음에 기인한 것으로 보인다.

이러한 과실상계의 광범위한 인정은 중개의뢰인에게 '국가에서 공인한 자격증을 보유한 자임에도 중개업자를 믿을 수 없으니, 중개업자를 믿지 말고 본인이 잘 알아보고 거래하라'라는 이해할 수 없는 메시지를 보내는 측면이 존재하나, 현재의 부동산 거래현실 및 부실한 공인중개사 자격제도의 맹점을 고려한 현실적인 문제가 있지 않나 저자로서는 생각할 뿐이다.

결국 전세계약을 체결할 세입자는 막연히 중개사, 중개보조원을 믿을 것이 아니라 앞서 설명드린 바와 같은 사기를 당하지 않도록 관련 서류를 꼼꼼히 챙겨볼 필요가 있으며, 필요하다면 법률전문가의 도움을 받을 필요도 있다.

또한, 피해를 입은 세입자가 중개사, 중개보조원에게 손해배상책임을 묻는 경우, 과실상계에 있어서도 중개사의 과실이 매우 크다는 점을 충분히 증명할 필요가 있고, 소송과정에서 변호사의 도움을 받아 이를 증명할 만한 자료와 사실관계를 정리하여 자신의 주장을 관철시킬 필요가 있다.

7. 공인중개사의 공제계약만으로는 손해배상을 믿을수 없다

중개업자가 이러한 전세사기 피해와 관련하여 손해배상책임을 지게 된다 하더라도, 중개업자가 이를 배상할 재산이 없는 경우 이를 받기 곤란한 경우가 발생할 수 있다.

이러한 점을 고려하여, 공인중개사법 제30조 제3항은 보증보험이나 공제가입 또는 공탁을 할 의무를 부과하고 있는데, 대부분의 중개업자는 한국공인중개사협회가 운영하는 공제에 가입하고 있다.

중개업자가 중개의뢰인에게 '우리는 2억짜리 공제에 가입해 있으니 사고나도 여기서 보상되니 믿어도 된다 안심하라'고 하면서 공제증서를 제공하는 경우가 있는데 이것이 위와 같은 공제가입증서이다.

이러한 공제계약은 보험과 유사한 것으로, 회원으로부터 공제료를 받아 공제가입 회원의 중개사고로 인한 손해배상책임 중 공제가입금액 한도 내에서 피공제자에게 손해배상금을 지급하게 된다.

위 공인중개사법 조항에 따라, 공인중개사법 시행령 제24조 제1항 각호는 법인인 개업공인중개사의 경우 4억 원 이상(개정 전 2억), 법인이 아닌 개업공인중개사의 경우 2억 원 이상(개정 전 1억)의 보증보험이나 공제에 가입, 또는 공탁을 하도록 의무화하고 있는데, 현실적으로 대부분의 중개업자의 경우 위 금액의 최소액만을 가입하고 있는 실정이다.

문제는 약관상 위 2억(4억)의 의미에 대해 공제가입자(중개업자)의 공제기간 동안 발생한 모든 공제사고에 대한 총보상한도를 의미하는 것으로, 여러 건의 중개사고가 발생하여 그 배상액이 2억 원을 초과할 경우, 이를 나눠 가져야 하는 상황이 발생하게 될 수 있다.

결국 이러한 문제는, 전세보증금이 수억 원 이상의 거액인 경우도 많은 점을 고려할 때, 1건의 사고로도 부족할 수 있는 공제금을 심지어 여러 명이 나누어야 하는 사태가 발생하여 거의 피해금액을 보전하지 못할 가능성도 생기게 된다.

특히, 중개업자가 신탁물건을 다수 중개한다거나, 중개업자 또는 중개보조원이 다수의 임차인에게 사기행위를 저지르는 경우에는 더욱 심각한 피해를 낳을 가능성이 있다.

그리고, 한국공인중개사협회의 공제약관에는 '중개의뢰인이 손해배상금으로 공제금을 지급받고자 하는 경우, 중개의뢰인과 개업공인중개사 간의 공증 및 인증된 손해배상합의서·화해조서 또는 확정된 법원의 판결문 사본 그 밖에 이에 준하는 효력이 있는 서류 및 협회가 요구하는 서류를 첨부하여 손해배상금의 지급을 청구할 수 있습니다.'라고 정하고 있다.

이를 두고 중개업자나 피공제자(중개의뢰인, 거래당사자)은 '중개사와 중개의뢰인이 합의만 하면 공제금을 받을 수 있는거 아니냐'고 문의하는 경우가 많으나, 현실적으로는 협회에서 위와 같은 당사자 간 합의만으로는 공제금 지급을 거부하는 것이 대부분이다. 위와 같은 합의만으로 공제금을 지급할 경우, 중개업자와 피공제자가 짜고 공제금을 청구하는 것을 막을 길이 없기 때문이다.

이에, 현실상으로는 협회에서 법원의 판결을 요구하는 경우가 대부분이고, 심지어 중개업자를 상대로 한 판결문만으로는 통모하여 인낙을 한다던지 하는 등으로 서로 짜고 만들어낸 판결인지도 의심되는 경우가 많아 공제금을 거부하는 경우가 있으므로, 중개업자와 협회를 공동피고로 하여 소송을 제기하는 경우가 실무상 대부분이다.

이러한 점에서, 일부 중개업체에서 말하는 '저희는 공제에 가입되어 있으니 걱정마세요'라는 말은 위와 같은 한도의 문제가 있을 뿐 아니라 이를 청구하기 위한 절차도 매우 까다로운 점, 현실적으로 소송을 통한 해결이 불가피하게 되는 점에서, 이러한 공제만을 믿고 전세사기의 경계를 늦추어서는 안된다.

지은이

진제원 변호사

- 대한변호사협회 제22회 우수변호사상 수상
- 부산 성도고등학교, 부산대학교 법학과, 부산대학교 법학전문대학원 졸업
- 대한변호사협회 부동산전문변호사, 이혼전문변호사
- 부산광역시 상가임대차 상담센터 상담변호사
- 창원부산 소재 지역주택조합 다수 자문, 멀린엔터테인먼트코리아(주) 개발 자문, 건설사 자문 등 자문 다수
- 부산사립중등퇴임교장회 부동산·상속 강의, 부산대학교 교양노동법 특강, 산업안전보건공단 법률강의, 그 외 기타 특강 출강 등

* 저서 *

- 공인중개사 중개사고 손해배상 AZ, (2021. 7.)
- 상가임대차법 권리금회수 손해배상 창과 방패 AZ, (2021. 9.)
- 계약금 가계약금 해약금 위약금 배액상환 계약해제 손해배상 AZ, (2022. 1.)
- 전세금 전세사기유형 및 피해방지, 손해배상 AZ , (2024. 3.)

상담문의는 아래 연락처로 남겨주시기 바랍니다.

휴대전화 : 010-4205-5598

이메일 : ultralawyer@hanmail.net

블로그 : blog.naver.com/ultralawyer(개정시 추록게시 예정)

(재판, 상담, 서면작성 등으로 연락을 받지 못하는 경우가 많으므로, 이메일 또는 문자로 먼저 성함/지역/연락처/상담내용을 남겨주시면 감사하겠습니다. 법률상담시 대면상담을 원칙으로, 원거리의 경우 화상·전화상담 가능하며, 소정의 상담료를 받고 진행함을 원칙으로 합니다.)